Chères lectrices,

En ce mois d'avril propice [...] programme Azur vous réserve deux très jolis cadeaux.

Tout d'abord, *Amoureux malgré eux* (n° 2485), le premier volet d'une minisérie pleine de charme et de fraîcheur intitulée : « Les sœurs Mayflower ». Dans cette trilogie toute printanière de Carole Mortimer, vous découvrirez l'histoire de trois ravissantes jeunes femmes — Iris, Capucine et Lila — qui s'efforcent coûte que coûte de sauver la propriété du Yorkshire où elles ont grandi, convoitée par un promoteur immobilier déjà propriétaire des terrains alentour. Mais pour les sœurs Mayflower, il n'est pas question de céder. Et même si l'homme d'affaires en question leur envoie ses trois plus redoutables émissaires pour les convaincre, les jeunes femmes trouveront, vous le verrez, le moyen de retourner la situation en leur faveur... en faisant chacune un très beau mariage par la même occasion !

Ah, le mariage... Il en est aussi question dans *Un mariage impromptu* (n° 2486), la première partie des « Héritiers de Belluna », la nouvelle minisérie signée de la très talentueuse Lucy Gordon. Les héros en sont deux frères, Gino et Rinaldo Farnese — de grands séducteurs qui ne renonceraient pour rien au monde à leur célibat. Jusqu'au jour où ils apprennent que, pour hériter du somptueux domaine de Belluna, il leur faut prendre une épouse ! Un changement radical pour ces play-boys de Toscane, mais qui en vaut la peine, ainsi qu'ils le découvriront une fois qu'ils auront rencontré la femme de leur vie. D'ailleurs, en Italie, vous savez ce que l'on dit ? Ce sont les célibataires les plus endurcis qui font les meilleurs maris !

Excellente lecture et à très bientôt,

La responsable de collection

Ce mois-ci

Votre collection Azur vous propose de découvrir la trilogie

Les Sœurs Mayflower

Pour Iris, Lila et Capucine Mayflower, il n'est pas question de vendre la propriété familiale à d'intraitables hommes d'affaires. Les trois sœurs doivent donc trouver un moyen de repousser ces promoteurs venus de Londres, aussi séduisants et fascinants soient-ils !
Mais pourront-elles leur résister longtemps sans tomber amoureuses ?

A vous de le découvrir !

Ne manquez pas le 1er mai, votre prochain rendez-vous :
Étrange attirance, de Carole Mortimer

Amoureux malgré eux

CAROLE MORTIMER

Amoureux malgré eux

COLLECTION AZUR

*éditions*Harlequin

Cet ouvrage a été publié en langue anglaise
sous le titre :
HIS CINDERELLA MISTRESS

Traduction française de
MARIE-PIERRE MALFAIT

HARLEQUIN®

est une marque déposée du Groupe Harlequin
et Azur ® est une marque déposée d'Harlequin S.A.

1.

— Puis-je vous inviter à boire un verre ?

Assise au bar devant un verre d'eau pétillante, Iris savourait un repos bien mérité après la première partie de son tour de chant. Elle pivota sur son tabouret, prête à décliner poliment l'invitation, mais les mots moururent sur ses lèvres.

Lui !

Devant elle se tenait l'homme qui l'avait écoutée chanter et jouer du piano une heure durant, sans bouger, la fixant avec une intensité troublante. Comment ne pas le remarquer ?

Ayant appris à garder une distance polie avec les clients de passage qui séjournaient dans cet hôtel de luxe, Iris s'exhorta à formuler un refus courtois.

« N'oublie pas ce qui s'est passé à la ferme, cet été », lui aurait rappelé sa sœur Lila. « Souviens-toi de ce que tu m'as dit... après coup, aurait renchéri son autre sœur, Capucine. Les apparences sont souvent trompeuses ! »

— Avec plaisir, merci, murmura-t-elle pourtant d'une voix rauque.

Sur un léger hochement de tête, l'inconnu commanda une bouteille de champagne à John, le barman de l'hôtel, puis recula d'un pas pour l'inviter à se diriger vers la table qu'il occupait au fond de la salle luxueusement aménagée, toujours parée des décorations de Noël alors que la fête était passée depuis quelques jours.

Feignant d'ignorer les regards curieux posés sur eux, Iris aperçut leur reflet dans un des miroirs qui ornaient les murs. La longue robe noire à bretelles qu'elle portait lors de ses représentations épousait les courbes de sa silhouette élancée ; son épaisse chevelure noir de jais cascadait souplement sur ses épaules nacrées tandis que son regard gris, empreint de mystère, était mis en valeur par de longs cils noirs. L'homme qui la suivait d'un pas assuré était grand et brun, infiniment séduisant dans son smoking noir et sa chemise blanche. Quant à ses yeux... ils étaient d'un bleu profond, extraordinaire.

C'était précisément ce regard, à la fois captivant et indéchiffrable, qui avait retenu son attention une heure plus tôt, peu après qu'elle avait commencé son tour de chant. Ce regard qui, en cet instant précis, suivait la douce ondulation de ses hanches comme elle le précédait.

Il lui adressa un petit signe et elle prit place gracieusement dans un des quatre fauteuils qui entouraient la table basse. Lorsqu'elle fut installée, il s'assit en face d'elle sans la quitter des yeux un seul instant.

— Du champagne ? susurra Iris quelques instants plus tard, comme le silence se prolongeait, chargé d'électricité.

Il inclina légèrement la tête de côté.

— Ne sommes-nous pas le 31 décembre ? répliqua-t-il simplement.

Il ne fit aucun effort pour entretenir la conversation et Iris commença à regretter de ne pas avoir écouté les petites voix de ses sœurs qui la poussaient à refuser l'invitation.

— En effet, dit-elle en adressant un sourire chaleureux à John qui approchait de leur table, muni de deux flûtes en cristal et d'un seau à glace qui contenait une bouteille millésimée.

Le barman l'ouvrit avec adresse puis emplit les verres du liquide doré et pétillant. L'inconnu le remercia d'un bref hochement de tête. Avant de s'éclipser, John arqua un sourcil interrogateur en direction d'Iris, manifestant ainsi sa surprise de la voir en compagnie d'un client de l'hôtel, elle qui ne se mêlait jamais aux convives. Le pauvre, s'il savait qu'elle était la première étonnée par sa propre conduite !

Reportant son attention sur son compagnon, elle se pencha légèrement en avant.

— Iris.

Un sourire flotta sur les lèvres de l'homme tandis qu'il s'emparait d'une flûte pour la lui offrir.

— C'est votre fleur préférée ?

Elle secoua la tête, vaguement amusée.

— Non, c'est mon prénom.

— Oh...

Le sourire s'épanouit, dévoilant une rangée de dents étincelantes qui contrastaient avec son teint cuivré.

— Max, ajouta-t-il, toujours aussi bref.

Décidément, cet homme n'était pas du genre loquace, songea la jeune femme en l'observant par-dessus le rebord de son verre. C'était plutôt le genre sûr de lui qui n'ouvrait la bouche que pour dire des choses qu'il estimait importantes.

— Serait-ce le diminutif de Maximilien ? demanda-t-elle dans l'espoir de détendre un peu l'atmosphère.

Le sourire disparut instantanément.

— Non, de Maxime. Ma mère lisait beaucoup, je crois, ajouta-t-il d'un ton où perçait le mépris.

Iris haussa les sourcils, intriguée.

— Pourquoi, vous n'en êtes pas sûr ?

Les pupilles de son compagnon se rétrécirent.

— Non.

A en juger par son air sombre, il était temps de changer de sujet, ce qu'elle s'empressa de faire.

— Vous êtes ici pour affaires, Max ?

— En quelque sorte. Et vous, vous travaillez ici tous les soirs ou seulement pour le réveillon du jour de l'an ?

Iris fronça les sourcils. Avait-elle imaginé l'ambiguïté insultante de sa question ou était-ce simplement son ton direct, un brin abrupt, qui la mettait mal à l'aise ? Dans le doute, elle haussa les épaules.

— Je travaille ici les jeudis, vendredis et samedis soir.

— Et comme nous sommes vendredi...

— Vous avez tout compris, coupa-t-elle de sa belle voix. D'ailleurs, j'ai bien peur qu'il me faille vous quitter. Le spectacle reprend dans quelques minutes.

Il acquiesça d'un signe de tête.

— Je vous attendrai.

Il n'avait pas bu une seule gorgée de champagne mais continuait à la dévisager de son regard pénétrant, infiniment troublant...

Elle qui avait accepté l'invitation sur une impulsion, par pure curiosité, s'en mordait sérieusement les doigts.

— Ne vous donnez pas cette peine, c'est inutile, répliqua-t-elle en atténuant d'un sourire la sécheresse de ses propos. En général, je termine vers 1 h 30, 2 heures du

10

matin mais ce soir n'est pas un soir comme les autres... je vais sans doute chanter jusqu'à 3 heures.

Et il serait 4 heures lorsqu'elle rentrerait enfin chez elle, physiquement épuisée mais tellement énervée qu'elle ne fermerait pas l'œil avant que ses sœurs se lèvent à leur tour, peu avant 6 heures du matin. Ce n'était pas de tout repos... toutefois, elle avait eu beaucoup de chance de trouver ce travail pas très loin de chez elle. Vu les circonstances, mieux valait ne pas se montrer trop exigeante.

— Ce n'est pas un problème. Je vous attendrai, répondit Max sans se démonter.

Un pli barra le front de la jeune femme. C'était exactement ce qu'elle avait toujours redouté en se montrant trop amicale avec la clientèle masculine de l'hôtel. Pourquoi diable avait-elle oublié sa prudence ce soir-là ?

Un frisson lui parcourut le dos — de peur ou d'excitation ? — comme le regard bleu marine de son compagnon glissait lentement sur ses épaules dénudées, s'attardant sur les rondeurs sensuelles de sa poitrine avant de descendre sur sa taille délicate. Iris retint son souffle. Elle eut presque l'impression de sentir sur son corps la caresse de ses longues mains soignées...

— Après tout, ce ne sont que quelques heures à tuer, reprit-il d'un ton sibyllin qui, cette fois, fit naître en elle une sourde angoisse.

Dans son esprit confus défilèrent soudain les bribes d'articles de journaux relatant les récentes agressions nocturnes commises sur des femmes seules dans les environs.

A dire vrai, cet homme d'une élégance raffinée n'avait pas franchement l'air du Maniaque Noctambule, comme l'avaient baptisé les plus racoleurs des journaux à sensation... D'un autre côté, existait-il vraiment un profil type pour ce genre de détraqué ? Le coupable en question ressemblait sans aucun doute à n'importe quel homme ordinaire et c'était seulement à la nuit tombée qu'il se transformait en monstre ! Elle ne...

— Dites-moi, Iris, reprit son compagnon en l'enveloppant de son regard bleu foncé, croyez-vous au coup de foudre ?

Décontenancée, Iris reposa la flûte sur la table en s'efforçant de ne pas trembler. Où étaient donc passées toutes les banalités d'usage que s'échangeaient d'ordinaire deux inconnus qui venaient de se rencontrer ? L'attitude de Max était pour le moins déroutante ! Presque cocasse, si l'on y réfléchissait bien... L'ombre d'un sourire joua sur ses lèvres.

— En un mot : non, répondit-elle sans ambages. Je crois que le désir peut jaillir au premier regard mais certainement pas l'amour. Gardons-nous de tout mélanger... Qu'en pensez-vous ? conclut-elle avec ironie.

Son compagnon ne cilla pas.

— C'est à vous que je posais la question, rappela-t-il simplement.

— Et je vous ai répondu non, insista Iris, partagée entre la curiosité et l'irritation. Comment serait-il possible de tomber amoureux de quelqu'un qu'on ne connaît pas ? Qu'arrive-t-il ensuite, lorsqu'on découvre tous les petits travers qui n'étaient pas visibles au premier regard ? Vous savez, la fâcheuse manie de presser le tube de dentifrice par le milieu, par exemple... ou encore, celle de lire le journal en premier puis laisser à l'autre le soin de trier les pages qu'on aura repliées dans n'importe quel ordre... ? Ou bien traîner pieds nus à toute heure de la journée... ou...

— Je vois, inutile d'en rajouter, coupa-t-il tandis qu'une étincelle éclairait le bleu intense de son regard. Dois-je comprendre que vous êtes vous-même dotée de tous ces petits... travers ?

Iris réfléchit un instant. A la vérité... oui ! Le tube de dentifrice martyrisé déclenchait la colère de Capucine et Lila sortait de ses gonds chaque fois qu'elle prenait le journal à la suite de sa sœur cadette. Marcher pieds nus, c'était une habitude qu'elle avait prise enfant... un plaisir risqué pour qui vivait dans une ferme. Un jour, elle s'était enfoncé une écharde dans le pied et avait terminé à l'hôpital où le médecin l'avait vaccinée contre le tétanos. Une autre fois, elle avait marché sur une braise échappée de l'âtre... et s'était de nouveau retrouvée aux urgences de l'hôpital régional.

La voix de Max l'arracha à ses souvenirs.

— On dit que l'amour est indifférent à ce genre de détails... Après tout, la perfection n'est pas de ce monde.

Pourtant, sans qu'elle puisse s'expliquer pourquoi, Iris soupçonnait cet homme de friser la perfection. En tout cas, elle le voyait mal presser le tube de dentifrice par le milieu, malmener le journal... et encore moins se promener chez lui pieds nus ! Non, il donnait l'impression de contrôler minutieusement le moindre de ses faits et gestes, de se conduire de manière irréprochable en toutes circonstances. Mais au fond... n'était-ce pas aussi un défaut ?

Quoi qu'il en soit, cette histoire de coup de foudre était parfaitement ridicule !

— Vous avez peut-être raison, Max, répondit-elle finalement. Ce qui n'empêche pas des centaines de divorces chaque année pour cause d'« incompatibilité d'humeur » ou de « comportements déviants » de la part de l'un ou l'autre conjoint, ajouta-t-elle, pince-sans-rire.

Il sourit.

— Je ne pense pas qu'un tube de dentifrice mal pressé fasse partie des comportements auxquels vous faites allusion, railla-t-il.

— Peut-être pas, en effet, concéda Iris en haussant les épaules. Toujours est-il que j'ai répondu à votre question, il me semble.

Même si la raison qui l'avait poussé à lui demander cela demeurait un vrai mystère. Une chose était sûre, en tout cas : la prochaine fois qu'une envie surgirait en elle, elle la refoulerait sur-le-champ — même si son compagnon possédait un charme ravageur !

— Absolument. Pour être franc, Iris, il est peu fréquent de rencontrer quelqu'un portant un regard aussi direct et objectif sur ce que la plupart d'entre nous appellent encore, très romantiquement, l'amour...

Iris le dévisagea d'un air soupçonneux. A sa connaissance, elle ne lui avait pas confié sa propre conception du sentiment amoureux...

— Vraiment ?

— Tout à fait, murmura-t-il avec un petit sourire. Mais...

— Excusez-moi de vous déranger, Iris, intervint John, le barman, qui venait de faire son apparition.

La jeune femme se tourna vers lui, ravie de la diversion.

— Ce n'est rien, John. Il est l'heure pour moi de reprendre mon tour de chant, c'est ça ? dit-elle d'un ton plein d'espoir.

John esquissa une grimace contrite.

— En fait... je voulais juste vous prévenir que Meridew traînait dans les parages, répondit le barman, faisant allusion au directeur de l'hôtel qui venait de pénétrer dans la salle qu'il balayait déjà d'un regard critique.

Au sens strict du terme, Iris ne faisait pas partie du personnel de l'hôtel mais ce détail n'empêchait pas Peter Meridew d'avoir son mot à dire si quelque chose lui déplaisait. C'était la première fois qu'Iris acceptait de prendre un verre en compagnie d'un client de l'hôtel... Allait-il le lui reprocher ? Une chose était sûre : Iris ne pouvait courir le risque de perdre son emploi à cause d'un homme qu'elle ne reverrait jamais.

— Merci, John, murmura-t-elle en gratifiant le barman d'un sourire reconnaissant.

Puis, se tournant vers Max :

— Je dois vous laisser.

Max fronça les sourcils.

— Voulez-vous que j'aille lui parler ?

— Certainement pas ! protesta Iris. De toute façon, il est l'heure pour moi de reprendre mon poste.

Max hocha la tête.

— J'attendrai que vous ayez terminé.

Sur le point de protester de nouveau, Iris se ravisa. A quoi bon lutter contre quelqu'un d'aussi entêté ? Elle se débrouillerait pour s'éclipser sans qu'il s'en aperçoive, voilà tout...

— Merci pour le champagne, dit-elle en se levant.

— Tout le plaisir fut pour moi.

Iris sentit son regard l'envelopper comme elle traversait la salle pour rejoindre le piano. Au fond, il n'admirait rien d'autre qu'une ravissante jeune femme brune moulée dans une longue robe noire. A part son prénom, il ne savait rien d'elle... et ne saurait jamais rien.

Un petit sourire joua sur ses lèvres. Le pauvre tomberait des nues s'il la voyait le lendemain, à l'aube, chaussée de grosses bottes en caoutchouc, traverser d'un bon pas la cour boueuse en direction de l'étable pour la première traite du matin !

A quoi jouait-il, bon sang ? Furieux contre lui-même, Max étouffa un grognement dépité. S'il avait eu l'intention d'effaroucher la belle inconnue avant même qu'ils aient l'occasion de mieux se connaître, c'était réussi !

Il n'avait pas souhaité venir ici ; en fait, il aurait mille fois préféré passer les fêtes de fin d'année là où il se trouvait avant qu'on lui impose ce voyage d'affaires. Il était alors en pleine entreprise de séduction — guère fructueuse, il fallait bien l'admettre, mais malgré tout très agréable — avec l'actrice Rose Robine. Agée d'une bonne dizaine d'années de plus que lui — il avait trente-sept ans —, elle paraissait vingt ans de moins.

Hélas, son employeur et ami avait insisté pour qu'il se rende sur place sans plus tarder, l'affaire devant être traitée dans les plus brefs délais. Conscience profession-nelle oblige, Max s'était incliné : après tout, c'était son travail... même si Jude semblait également très attiré par l'ensorcelante Rose Robine... et que, le connaissant, ce dernier serait certainement beaucoup plus convaincant. Aucun doute à ce sujet...

Comment Max aurait-il pu deviner qu'un dernier verre pris au piano-bar d'un hôtel choisi par pur hasard suffirait à effacer Rose de son esprit, et avec elle toutes les femmes qu'il avait connues jusqu'alors, au profit de cette créature de rêve qu'il avait eu envie de posséder à l'instant même où il avait posé les yeux sur elle ?

Pour un temps, en tout cas... Car s'il était honnête avec lui-même, aucune femme ne lui aurait fait renoncer à sa vie de célibataire, si séduisante soit-elle. Et Iris était incroyablement séduisante.

A ses yeux, elle incarnait même la perfection en matière de beauté féminine, depuis sa jolie tête brune jusqu'à ses petits pieds délicats chaussés de fines sandales.

Elle était si parfaite qu'il n'avait pas réussi à détacher son regard... si parfaite qu'en sa présence, il avait perdu le sens de la repartie qui le caractérisait d'ordinaire — sauf quand il lui avait demandé tout de go si elle croyait au coup de foudre.

Directe et sincère, sa réponse l'avait stupéfait. Voire agréablement surpris ! Pas de doute, il était tombé sous le charme de cette créature à la voix rauque et sensuelle, au visage délicat... Quant à son corps, c'était celui d'une déesse !

Max étouffa un soupir. Mieux valait ne pas s'appesantir sur le sujet. Après tout, il n'était pas encore minuit ; il devrait encore patienter trois bonnes heures avant de songer à l'inviter à poursuivre la nuit ailleurs...

Ce furent les trois heures les plus longues de sa vie. Aux douze coups de minuit, alors qu'Iris comptait à rebours de sa voix suave, Max fut contraint à garder ses distances : à peine s'était-elle tue qu'une foule d'admirateurs — des hommes, pour la plupart — avait fondu sur elle pour lui souhaiter une bonne année. En proie à une vive frustration, il avait observé la scène de loin, réprimant à grand-peine l'envie de repousser sans ménagement ceux qui réclamaient un « baiser de bonne année ».

Le directeur de l'hôtel l'avait accaparée tout au long de sa deuxième pause ; Iris et lui avaient bavardé à bâtons rompus sous le regard mi-agacé, mi-dépité de Max, toujours assis dans son coin. Elle ne l'avait pas gratifié d'un seul regard. Ce qui, au fond, n'était guère étonnant après sa conduite de goujat...

Jude aurait bien ri s'il l'avait vu en cet instant précis, en train de ruminer ses sombres pensées ! Et après avoir vu l'objet de sa convoitise, il se serait aussitôt lancé à sa conquête, avec davantage de succès, évidemment.

Cette idée l'emplit d'une fureur aussi surprenante qu'incontrôlable. Jusqu'à présent, cela ne l'avait jamais dérangé que son ami s'intéresse d'un peu trop près à la même femme que lui mais dans le cas d'Iris, c'était différent. Il savait d'ores et déjà que leur belle amitié serait mise en péril si Jude tentait de lui damer le pion, cette fois.

A la fin de son tour de chant, Iris paraissait épuisée. Sourcils froncés, Max se leva pour aller la rejoindre. Lui-même n'éprouvait pas la moindre trace de fatigue : il avait dormi tout l'après-midi à cause du décalage horaire et se sentait dans une forme éblouissante.

— Où allez-vous ? demanda-t-il comme elle pivotait sur ses talons sans lever les yeux.

Son regard gris, empreint de méfiance, se posa sur lui.

— Je rentre chez moi, quelle question...

Max la dévisagea longuement. Des cernes ombraient ses yeux magnifiques et un poids immense semblait peser sur ses frêles épaules, à présent qu'elle ne se trouvait plus sous le feu des projecteurs. Déjà, les clients de l'hôtel et les convives du réveillon se dirigeaient vers la sortie dans un joyeux brouhaha.

— J'avais promis de vous attendre, lui rappela-t-il d'un ton suave.

Elle fronça les sourcils, sur le point de protester. Mais devant son expression déterminée, elle se contenta de hausser les épaules, vaincue d'avance.

— Je dois d'abord récupérer mon sac et mon manteau, répondit-elle simplement.

— Je viens avec vous, décréta Max, résolu à ne pas la laisser s'échapper.

Elle arqua un sourcil moqueur.

— Dans le vestiaire des dames ?

Il fit la moue.

— Très bien. Je vous attends dehors.

Une étincelle de contrariété brilla dans son regard gris.

— Accordez-moi quelques minutes.

Sur ce, elle disparut derrière une porte ornée d'une plaque sur laquelle était gravé en lettres capitales le mot : PRIVE.

Rongeant son frein, Max attendit son retour. La patience ne faisait pas partie de ses vertus — encore moins en cet instant précis, alors qu'il brûlait d'envie de se retrouver seul avec elle.

Les minutes s'écoulèrent — une, deux, cinq puis dix... Que diable fabriquait-elle ?

— Puis-je vous aider, monsieur ?

Arraché à ses réflexions, Max se tourna vers le directeur de l'hôtel qu'il n'avait pas entendu approcher.

— Y a-t-il une autre porte dans cette pièce ? demanda-t-il pour la forme, presque convaincu qu'Iris avait réussi à lui fausser compagnie.

Son interlocuteur jeta un coup d'œil surpris à la porte réservée au personnel.

— Oui... oui, en effet, il y en a une qui donne sur un couloir. Mais... puis-je faire quelque chose pour vous, monsieur ? insista le directeur tandis que Max le fusillait du regard.

— Vous auriez pu m'aider si vous vous appeliez Iris, maugréa-t-il, en proie à un vif sentiment de frustration. Ce n'est pas le cas, hélas !

La diablesse avait trouvé le moyen de s'éclipser, cela ne faisait plus aucun doute ! « Tu trouves ça étonnant ? » railla une petite voix moqueuse. Il l'avait accostée sans subtilité, tel l'homme d'affaires blasé avide de compagnie pour une nuit.

N'était-ce pas précisément ce qu'il était ?

Non... pas du tout, bon sang ! Pour une raison qui lui échappait, il savait qu'il ne pourrait se contenter d'une seule nuit dans les bras d'Iris. Il aurait su lui faire comprendre ce qu'il éprouvait... si seulement elle lui avait laissé un peu plus de temps !

— Pardon ? dit le directeur en le dévisageant d'un air hébété. Dois-je comprendre que vous êtes un ami d'Iris ?

Max s'exhorta au calme. A quoi bon perdre son sang-froid ? Cela ne ferait qu'aggraver la situation... Et puis, pourquoi ne pas se fier au bon vieux dicton : « demain est un autre jour » ? En l'occurrence, demain serait un samedi et Iris serait de nouveau là dans la soirée...

— Pas encore. Au fait, ajouta-t-il d'un ton radouci en gratifiant son interlocuteur de son sourire le plus avenant, j'aimerais vous féliciter : les prestations de votre hôtel sont irréprochables, dignes des plus grands palaces et je parle en connaissance de cause. Je voyage beaucoup pour affaires, vous comprenez...

Ses compliments eurent l'effet escompté : le visage du directeur s'éclaira aussitôt et il inclina la tête d'un air faussement modeste.

20

— C'est très aimable à vous, merci.

— C'est surtout très sincère, insista Max. C'est une véritable bouffée d'oxygène que de séjourner dans un hôtel aussi bien géré.

Le directeur rougit de plaisir.

— Surtout, n'hésitez pas à faire appel à moi personnellement si vous avez besoin de quoi que ce soit pendant votre séjour, déclara Peter Meridew avant de prendre congé.

« Voilà au moins un homme heureux », songea Max en le regardant s'éloigner d'un pas léger. Si seulement il pouvait éprouver le même sentiment d'euphorie...

Ses pensées se tournèrent tout naturellement vers Iris et sa dérobade. Elle croyait peut-être en avoir terminé avec lui mais il n'avait pas dit son dernier mot.

Non, il lui réservait encore une surprise.

Une énorme surprise !

2.

— Qu'est-ce qui ne va pas, aujourd'hui, Lila ? demanda Iris en gratifiant sa sœur aînée d'un regard intrigué.

Celle-ci venait de casser une assiette alors qu'elles s'apprêtaient toutes trois à débarrasser la table du dîner. Un peu plus tôt, elle avait fait un vacarme assourdissant avec les plats et les casseroles en préparant le repas puis avait observé un silence morose tout au long du dîner tandis qu'Iris conversait avec son autre sœur, Capucine.

Âgées respectivement de vingt-sept, vingt-six et vingt-cinq ans, Lila, Capucine et Iris se ressemblaient comme trois gouttes d'eau. Grandes et brunes, elles possédaient toutes un teint diaphane qui bronzait joliment sous le soleil estival. Seule la couleur de leurs yeux était différente : ceux de Lila étaient verts, ceux de Capucine gris-vert et ceux d'Iris gris foncé.

Lila, l'aînée des trois, avait toujours passé pour la plus posée et la plus raisonnable, celle qui savait faire face à toutes les situations sans se démonter... mais ce soir, à l'évidence, quelque chose la tracassait.

— C'est le contrecoup de la pièce, c'est ça ? reprit Iris d'un ton plein de sollicitude.

Absorbée une grande partie du temps par les travaux de la ferme, Lila faisait partie depuis quelques années de la troupe de théâtre de la ville voisine — un loisir qui était vite devenu pour elle une passion dévorante. A l'occasion des fêtes de fin d'année, la troupe avait mis en scène *Aladdin* dont ils avaient donné plusieurs représentations au théâtre municipal. Lila tenait le rôle principal, traditionnellement incarné par une femme. Ç'avait été une expérience extraordinaire, bien qu'extrêmement fatigante puisque la jeune femme avait assumé de front les représentations et les travaux de la ferme pendant plusieurs jours d'affilée.

— Si seulement c'était ça...

Elle leva soudain les yeux des morceaux de l'assiette brisée qu'elle venait de ramasser.

— Nous avons eu de la visite, aujourd'hui.

Iris se raidit aussitôt, gagnée par une sourde appréhension. La nuit passée, elle s'était réjouie du bon tour qu'elle avait joué au mystérieux Max en l'abandonnant sans un mot d'explication mais dans un coin de son esprit, elle savait qu'il n'en resterait pas là... pas lui. Avait-il retrouvé sa trace... déjà ?

Les beaux yeux verts de Lila s'embuèrent de larmes.

— Vous souvenez-vous de la lettre que nous avons reçue juste avant Noël ? Celle de l'avocat d'une grosse boîte américaine ? Ils parlaient de leur intention d'acheter la ferme, vous n'avez tout de même pas oublié ! ajouta-t-elle devant les mines perplexes de ses sœurs.

— Comment aurions-nous pu oublier ? Quel toupet, oui ! bougonna Capucine en nettoyant le carrelage maculé de sauce. Si on voulait vendre, on ferait appel à une agence immobilière !

D'un geste agacé, elle jeta l'éponge dans l'évier.

— Exact, approuva Lila en se laissant tomber sur une chaise. Le problème, c'est que l'avocat en question est venu nous voir aujourd'hui. Plus précisément, c'est moi qu'il a vue puisque j'étais la seule à être disponible quand il est passé, expliqua-t-elle en grimaçant.

Lorsqu'elle chantait au piano-bar de l'hôtel, Iris avait coutume de se reposer dans la journée et elle avait dormi presque tout l'après-midi, ce jour-là. Quant à Capucine, elle avait travaillé en ville de 9 heures à 17 heures, comme un jour ordinaire. Lila était la seule d'entre elles à se consacrer à plein temps aux travaux de leur petite exploitation agricole, en plus des corvées domestiques qu'elle était également obligée d'assumer. Dans les faits, les trois jeunes femmes occupaient chacune deux emplois ; c'était loin d'être facile mais elles n'auraient pu se passer des salaires d'Iris et de Capucine.

— Je croyais que c'était une mauvaise plaisanterie, fit observer Iris en fronçant les sourcils.

Lila laissa échapper un rire sans joie.

— Crois-moi, cet avocat était on ne peut plus sérieux. A tel point qu'il est allé jusqu'à proposer une somme absolument faramineuse en échange de la ferme.

Elle énonça le montant en secouant la tête d'un air incrédule. Iris retint son souffle tandis que Capucine avalait sa salive. Toutes trois savaient pertinemment que leur ferme ne valait pas la moitié de la somme proposée. La question était donc de savoir pourquoi cet homme leur offrait tant en échange de vingt hectares de terre, d'un corps de ferme défraîchi et de quelques bâtiments qui avaient connu des jours meilleurs.

— Où est le piège ? demanda finalement Capucine.

24

— Il n'y en a pas. La seule condition est que nous libérions la maison sur-le-champ.

— La seule condition... ? Mais nous sommes nées ici toutes les trois ! protesta Iris.

— C'est notre maison, voyons ! s'écria Capucine en même temps.

Lila esquissa un pâle sourire.

— C'est bien ce que j'ai tenté de lui expliquer... hélas, ça n'a pas eu l'air de l'émouvoir.

— Ça ne m'étonne pas ! C'est sans doute le genre de type à vivre au dernier étage d'un immeuble de luxe, maugréa Capucine d'un ton dédaigneux. Il ne doit même pas connaître la signification profonde du mot « maison ». Tu ne l'as pas fait entrer, j'espère ? demanda-t-elle soudain en posant sur sa sœur un regard inquisiteur.

Lila secoua la tête en signe de dénégation.

— J'étais en train de charger des bottes de foin sur la remorque du tracteur quand il est arrivé. Après s'être présenté, il m'a aussitôt exposé les raisons de sa visite. Vous imaginez bien que je n'avais aucune envie de le faire entrer... Il portait un costume magnifique, et des chaussures de ville impeccablement cirées qui ont quelque peu souffert d'une visite à la ferme au mois de janvier, conclut Lila d'un ton caustique.

Devant son air satisfait, Iris ne put s'empêcher de rire.

— Je suppose que tu l'as envoyé sur les roses...

— Mmm, admit Lila avant de froncer les sourcils. J'ai malgré tout la désagréable impression qu'il n'a pas dit son dernier mot.

Le visage d'Iris s'assombrit.

— De quoi s'agit-il au juste, à ton avis ?

— Oh, ce n'est pas sorcier, intervint Capucine en balayant l'air d'un geste gracieux. La société que représente cet avocat a acheté la propriété des Hanworth il y a quelques mois dans l'idée de construire un vaste projet immobilier. Vous n'êtes pas sans savoir que notre ferme se trouve au beau milieu de leur parcelle… Nous les gênons, c'est évident, conclut-elle avec un petit haussement d'épaules.

James Hanworth, grand propriétaire terrien, était décédé six mois plus tôt. Sans héritier direct, il avait choisi de léguer sa propriété à une poignée de connaissances qui avaient manifestement décidé de vendre les terres.

— Tu n'aurais pas pu nous le dire plus tôt ? s'écria Lila en se tournant vers sa sœur. Tout s'explique, à présent !

C'était d'une clarté lumineuse, en effet, songea Iris, sous le choc. Cette ferme avait appartenu à leurs grands-parents puis à leurs parents avant qu'elles en héritent à leur tour. Et bien qu'elles soient obligées de travailler d'arrache-pied pour continuer à l'entretenir, pas une seule fois elles n'avaient songé à s'en défaire. Elles avaient passé toute leur vie dans ces murs !

Elle jeta un coup d'œil à sa montre.

— Ecoutez, je dois filer mais nous reparlerons de tout ça demain matin, d'accord ?

— D'accord, dit Lila en étouffant un soupir.

Iris tapota affectueusement le bras de son aînée.

— Personne ne peut nous obliger à vendre contre notre gré.

— Tu as raison ; le problème, c'est que nous sommes coincées au milieu de tout ça et ils n'hésiteront pas à nous rendre la vie infernale si nous ne cédons pas.

— J'essaierai de me renseigner dès demain sur la véritable teneur du projet immobilier, intervint Capucine.

— Veille à ne pas t'attirer d'ennuis, dit Lila d'un ton inquiet.

Les trois sœurs avaient perdu leur mère alors qu'elles étaient encore enfants ; en tant qu'aînée, Lila avait rapidement assumé son rôle de « petite maman » auprès de ses cadettes — un rôle qui avait pris une nouvelle ampleur depuis la disparition de leur père, un an plus tôt.

— Ne t'inquiète pas pour moi, lança Capucine en souriant — c'était indéniablement la plus audacieuse des trois.

— A demain matin, vous deux ! dit Iris, habituée aux chamailleries qui éclataient régulièrement entre Lila la sérieuse et Capucine l'aventurière.

Elle gravit quatre à quatre l'escalier pour aller se changer. Ce soir-là, elle choisit une robe noire qui s'arrêtait aux genoux, ornée d'un profond décolleté et de longues manches fuselées, terminées par une pointe qui couvrait ses poignets graciles. Elle retint ses cheveux à l'aide de deux peignes piquetés de strass et laissa quelques mèches caresser ses joues diaphanes.

Elle avait souvent l'étrange impression de mener une double vie lorsqu'elle revêtait ses tenues raffinées pour aller chanter, après avoir passé une rude journée à la ferme, vêtue d'un vieux jean délavé, d'un gros pull et chaussée de bottes en caoutchouc.

Sur la route de l'hôtel, Iris songea à la ferme et au projet immobilier qui pourrait bien menacer son avenir. Personne n'avait le droit de les obliger à vendre, c'était un fait. D'un autre côté, Lila avait raison : la bonne marche de leur exploitation serait encore plus compliquée à assurer si les terres se retrouvaient enclavées au milieu d'un complexe touristique, par exemple.

Il y aurait d'abord le droit de passage, et aussi le problème de l'approvisionnement en eau. Du vivant de James Hanworth, ces questions matérielles n'avaient jamais posé de problème, le vieil homme considérant qu'elles étaient inhérentes au bon fonctionnement de l'exploitation de la famille Mayflower. Hélas, Iris doutait déjà de la magnanimité du nouveau propriétaire — surtout s'il s'agissait d'une multinationale, prête à tout pour parvenir à ses fins.

Tout à ses préoccupations, elle reçut un choc en découvrant Max qui bavardait tranquillement avec John, le barman, dans le piano-bar presque désert. Sottement, elle avait cru qu'il était là de passage, qu'elle ne le reverrait plus jamais... A l'évidence, elle s'était trompée !

— Iris, vous voilà enfin ! lança-t-il en la gratifiant d'un regard narquois tandis qu'elle se dirigeait vers le piano pour choisir ses partitions.

Il la rejoignit d'une démarche féline.

— Il semblerait que je n'aie pas bien compris où nous devions nous rejoindre, hier soir, susurra-t-il d'une voix teintée d'ironie.

— Vraiment ?

Iris soutint son regard sans ciller, malgré les picotements qui lui chatouillaient la nuque. Elle le trouvait infiniment séduisant dans son costume sombre et sa chemise bleue. Et s'il exerçait sur elle une attirance quasi magnétique, c'était sa personnalité à la fois affirmée et insaisissable qui la troublait encore plus.

— Je préfère m'en tenir à cette explication, répondit-il en esquissant un de ses irrésistibles sourires. Si nous réparions le malentendu ce soir ?

Echaudé par l'échec qu'il avait essuyé la veille, il semblait radouci, moins arrogant... même s'il paraissait toujours aussi décidé à passer un peu de temps en tête à tête avec elle.

— Pourquoi pas ? dit Iris d'un ton laconique. Maintenant, si vous voulez bien m'excuser, je dois commencer mon tour de chant.

— Je vous en prie...

Il recula d'un pas pour lui permettre de prendre place au piano. Puis, vif comme l'éclair, il se pencha vers elle. Ses lèvres lui frôlèrent l'oreille.

— Vous êtes encore plus belle qu'hier soir, murmura-t-il d'une voix rauque.

Son souffle chaud balaya les mèches qui encadraient son visage. Iris déglutit avec peine. Au prix d'un effort, elle tourna légèrement la tête de côté... et se retrouva nez à nez avec lui.

— Merci, répondit-elle, troublée.

Max se redressa. Un sourire joua de nouveau sur ses lèvres comme il l'enveloppait d'un regard admiratif.

— C'est très sincère.

Le cœur d'Iris fit un bond dans sa poitrine.

— Je me plais à le croire, dit-elle d'un ton faussement dégagé.

Il laissa échapper un petit rire.

— Je vais prendre un verre au bar en attendant votre pause. John m'a dit que vous aviez une préférence pour l'eau gazeuse.

Iris fronça les sourcils. L'idée qu'il débatte de ses goûts avec une tierce personne, fût-ce avec le débonnaire John, l'irritait profondément.

— Si je prends une pause, c'est précisément pour

me détendre quelques minutes, rétorqua-t-elle d'un ton abrupt.

— Dans ce cas, nous ne parlerons pas.

On ne pouvait guère l'accuser d'être un moulin à paroles, c'est certain... Néanmoins, sa simple proximité suffisait à la plonger dans un trouble inexplicable.

— Très bien, dit-elle finalement.

Max la dévisagea un moment en silence.

— La dernière fois que vous avez accepté une de mes suggestions, vous vous êtes enfuie comme une voleuse par une porte dérobée, railla-t-il.

Un flot de sang envahit le visage d'Iris. C'était bien ce qu'elle avait fait... n'est-ce pas ?

— Je ne le referai plus, déclara-t-elle avec une pointe d'impatience dans la voix. D'accord ?

— D'accord, répéta-t-il en inclinant légèrement la tête. Au fait...

Il marqua une pause, planta son regard dans le sien.

— Vous possédez la voix la plus sensuelle que j'aie jamais entendue, murmura-t-il avant de s'éloigner.

Iris le suivit des yeux, parcourue de mille frissons. Décidément, cet homme avait l'art et la manière de jouer avec ses nerfs !

« C'est mieux, Max, se félicita-t-il en regagnant sa place au bar, beaucoup mieux... Le parfait équilibre entre l'humour et la détermination... » Il n'avait plus qu'à conserver la même attitude pendant les quelques heures à venir.

Tiendrait-il le coup ? Là était la question... Quand Iris était entrée dans la salle quelques minutes plus

30

tôt, vêtue d'une robe noire, moulante à souhait, qui dévoilait ses longues jambes fuselées, il avait retenu son souffle, émerveillé par sa beauté. Son sang s'était mis à bouillonner dans ses veines, quant à certaines parties de son anatomie... il n'avait pas éprouvé de réaction aussi violente à la vue d'une femme depuis l'adolescence !

Dieu merci, il s'était vite ressaisi et avait même réussi à lui parler d'un ton à la fois assuré et calme, distillant une légère dose d'humour dans leur conversation anodine.

N'y tenant plus, il n'avait pu s'empêcher de lui faire ce compliment un tantinet sexiste sur sa voix si sensuelle...

D'accord, d'accord, il avait quelque peu oublié sa réserve initiale... mais il ne le regrettait pas. Ses joues empourprées et l'étincelle qui avait éclairé ses magnifiques yeux gris l'avaient empli d'une joie incontrôlable !

A trente-sept ans, Max avait croisé de nombreuses créatures resplendissantes, cultivées et sûres d'elles mais aucune n'avait jamais rougi à un de ses compliments ; c'était comme une bouffée d'air frais de constater qu'Iris n'était pas à ce point sophistiquée.

Quel âge pouvait-elle bien avoir ? songea-t-il en l'observant à la dérobée. Vingt-cinq, vingt-six ans, probablement. A la fois assez mûre pour se prêter au jeu de la séduction et assez jeune pour rougir encore d'un compliment.

— C'est une fille formidable, n'est-ce pas ? dit le barman d'un ton admiratif tout en essuyant des verres en prévision de la soirée qui s'annonçait animée. Tellement différente de toutes les pimbêches qui ont chanté ici avant elle, ajouta-t-il avec une moue éloquente.

A l'évidence, John lui fournirait volontiers une mine d'informations au sujet d'Iris, si Max se donnait la peine de le questionner. Mais ce dernier n'en fit rien.

Pour une raison qu'il ne s'expliquait pas, il éprouvait le besoin d'apprendre à la connaître seul, sans l'aide d'une tierce personne. Mieux encore : il brûlait d'envie de la débarrasser des fines couches de protection dont elle s'entourait... une à une... délicatement, jusqu'à ce qu'il découvre enfin sa vraie nature.

Par bonheur, son ami Jude n'était pas là pour assister aux émois de Max le séducteur, le célibataire endurci... Nul doute qu'il aurait trouvé désopilant cet incroyable revirement !

Il aurait moins ri, en revanche, en apprenant que la mission qu'il avait confiée à Max n'avait pas avancé d'un pouce. Sourcils froncés, Max se remémora l'entrevue de la matinée. Quel personnage borné, complètement inflexible ! Et pourtant, il avait tout fait pour exposer la situation avec tact, clarté et diplomatie... Tant pis, il devrait se résoudre à passer un peu plus de temps que prévu ici mais lorsqu'il partirait, l'affaire serait définitivement réglée. En outre, maintenant qu'il connaissait Iris, l'idée de s'attarder un peu dans la région était loin de lui déplaire...

Cela dit, il avait la nette impression qu'Iris lui donnerait encore plus de fil à retordre que le dossier professionnel qu'il était venu régler pour le compte de Jude !

Le piano-bar commença à se remplir dès que la voix mélodieuse d'Iris s'éleva dans la salle, résonnant jusque dans le hall de réception. Un groupe de jeunes gens s'approcha du bar, riant et bavardant avec animation. A la grande surprise de Max, les regards admiratifs dont ils gratifièrent Iris firent naître en lui un sentiment plus que désagréable... Etait-ce cela, la jalousie ?

C'était totalement absurde ! Iris était une artiste ; quoi de plus normal qu'elle exhibe son corps tout en chantant de sa voix rauque et sensuelle ?

Luttant contre l'envie de l'envelopper dans sa propre veste pour la soustraire aux regards concupiscents des autres spectateurs, Max adressa un petit signe à John.

— Un whisky, s'il vous plaît. Double, ajouta-t-il comme un jeune homme échangeait quelques mots avec Iris pendant qu'elle feuilletait ses partitions entre deux morceaux.

Le barman lui adressa un regard intrigué en posant le verre devant lui.

— Iris sait très bien mener sa barque seule, fit-il observer d'un ton qui se voulait rassurant.

Piètre consolation... Max aurait tant voulu prendre soin d'elle ! Prendre soin d'elle ? Il réprima de justesse un rire sans joie. Ce qu'il voulait, c'était la prendre dans ses bras, l'emmener dans sa suite et lui faire l'amour jusqu'à ce qu'ils retombent dans les bras l'un de l'autre, épuisés mais repus de plaisir. Et ensuite, il recommencerait, encore et encore !

Iris riait avec le jeune homme à présent, gaie et détendue. Mais c'était trop pour Max... et cela devint insupportable lorsque l'inconnu se pencha vers elle pour l'embrasser !

Aveuglé par la colère, il traversa la pièce à grandes enjambées, saisit le jeune homme par le col et le toisa d'un regard noir.

— Max... ? fit derrière lui la voix d'Iris, teintée d'incrédulité. Puis-je savoir ce que vous faites ?

Sans relâcher le jeune homme, Max se tourna brièvement vers elle.

— J'ai cru comprendre que ce jeune homme vous importunait...

Iris se leva, sourcils froncés, visiblement contrariée.

— Josh est un ami, Max, murmura-t-elle en écartant sa main d'un geste péremptoire. Il doit épouser ma cousine Sara samedi prochain.

Comme ses explications ne produisaient pas l'effet escompté, elle ajouta d'un ton plus sec :

— Vous êtes en train de vous donner en spectacle. Arrêtez ça tout de suite, je vous en prie.

Plusieurs clients observaient la scène avec intérêt et parmi eux, le groupe de jeunes gens avec qui Josh était arrivé. A en juger par leurs expressions, ils semblaient tout disposés à venir prêter main-forte à leur camarade.

— Désolé, marmonna-t-il à l'adresse du jeune homme qui rajusta sa veste en haussant les épaules.

Du coin de l'œil, Max aperçut Peter Meridew, le directeur de l'hôtel, qui assistait également à la scène, l'air intrigué. Max recouvra ses esprits. Iris avait raison : que fabriquait-il, bon sang ? De son point de vue à elle, après tout, il n'était qu'un client de passage qui lui avait offert un verre la veille, point final. Comment aurait-elle pu deviner qu'elle exerçait sur lui une attirance irrésistible ?

Au prix d'un effort, il parvint à se détendre.

— Je vous prie de m'excuser, reprit-il d'un ton plus amène, je ne sais pas ce qui m'a pris.

— Ce n'est rien, dit Josh, magnanime. En fait, c'est même plutôt rassurant de savoir que quelqu'un veille sur Iris.

— Je n'ai besoin de…, commença Iris.

— Puis-je vous offrir un verre, à vous et vos amis ? coupa Max en évitant délibérément le regard de la jeune femme. Je suis sûr qu'Iris se joindra volontiers à nous au moment de sa pause.

Elle était encore plus belle quand elle était en colère, constata-t-il en se tournant finalement vers elle. Ses sourcils parfaitement dessinés s'étaient arqués pour marquer sa désapprobation, ses magnifiques yeux gris étincelaient d'indignation, ses pommettes empourprées contrastaient joliment avec son teint nacré. Et sa bouche frémissante, d'un bel incarnat, invitait encore plus au baiser.

En proie à un trouble infini, Max s'empressa de reporter son attention sur le jeune homme.

— Votre mariage a lieu samedi, c'est ça ?

Josh hocha la tête, tout sourires.

— A 15 heures, oui. Vous êtes le bienvenu si vous souhaitez accompagner Iris.

— Tu ne…

— Allons discuter de tout ça devant un verre, d'accord ? suggéra Max, coupant court une fois de plus aux protestations de la principale intéressée. N'ayez crainte, Iris, nous ne vous dérangerons plus, ajouta-t-il d'un ton dégagé avant d'entraîner Josh vers le bar.

Chemin faisant, il sentit le regard furibond d'Iris lui brûler la nuque…

Nul doute que la chanson qu'elle choisit aussitôt après — le texte parlait de « se battre toujours » et de « se prendre en main, seule » — répondait directement à ce qu'elle considérait comme une intrusion éhontée de la part de Max dans sa vie privée.

Dire qu'il était venu ici avec la ferme intention de créer une atmosphère légère, douce et divertissante... Il doutait fort qu'Iris ait trouvé « divertissante » l'attitude qu'il avait eue avec son futur cousin par alliance...

Toutefois, il ne put s'empêcher de lever son verre dans sa direction à la fin de la chanson, recevant en retour une œillade assassine.

Un sourire joua sur les lèvres de Max. C'était plus fort que lui. Son opération séduction était plus que compromise mais il n'avait encore jamais baissé les bras devant un défi. Pourquoi en serait-il autrement avec Iris ?

Certes, sa journée s'était révélée assez improductive sur le plan professionnel mais il était encore temps de renverser la vapeur sur le plan personnel... Et si ses tentatives d'approche restaient malgré tout infructueuses, il n'hésiterait pas à accepter l'invitation de Josh qui venait de réitérer cordialement sa proposition. En effet, quoi de plus réjouissant qu'une cérémonie de mariage en pleine campagne, un samedi du mois de janvier ?

3.

— Il est hors de question que vous m'accompagniez au mariage de Josh et Sara samedi prochain, déclara Iris en prenant place en face de lui.

C'était uniquement pour mettre les choses au point qu'elle avait accepté de prendre un verre avec lui au terme de son récital.

Contre toute attente, Max la fixa d'un air amusé.

— Pourquoi ? L'invitation de Josh semblait tout à fait sincère et spontanée.

— Je n'en doute pas un instant, admit Iris, agacée par l'attitude de son futur cousin par alliance.

La gratifier d'un baiser pour honorer le pari que lui avaient lancé ses amis à l'occasion de l'enterrement de sa vie de garçon était une chose, inviter Max à son mariage en était une autre... nettement moins drôle.

— Je suis désolée, c'est tout simplement impossible, reprit-elle d'un ton buté.

— Désolé, je ne comprends pas pourquoi, insista-t-il sur le même ton. D'après ce que Josh a laissé entendre, vous n'avez pas de cavalier pour ce grand jour.

— J'ai l'intention de m'y rendre avec ma famille, figurez-vous, et j'ai bien peur que certains se fassent des idées si j'arrive au bras d'un parfait inconnu... des idées fausses, cela va sans dire ! conclut-elle en le gratifiant d'un regard courroucé.

Imperturbable, Max haussa légèrement les épaules.

— Le mariage a lieu dans une semaine, Iris. Il peut se passer beaucoup de choses en une semaine...

Elle détourna les yeux, troublée par son regard lourd de sous-entendus. Entre son travail à la ferme et ses tours de chant à l'hôtel, ses semaines étaient toujours très chargées, en effet. Mais cet homme ne cadrait vraiment pas avec sa vie de tous les jours. Il était bien trop sûr de lui, trop raffiné, trop... séduisant !

— Il est hors de question que vous veniez avec moi, Max, répéta-t-elle plus fermement. N'insistez pas, je vous en prie.

Pour se donner une contenance, elle prit une gorgée d'eau pétillante. Elle aurait bien eu besoin d'un petit remontant ; hélas, c'était impossible, avec la route qu'il lui restait à faire pour rentrer chez elle.

— Tant pis, dit Max, résigné. Vous avez merveilleusement bien chanté ce soir, Iris, ajouta-t-il, changeant soudain de sujet. Apparemment, le baiser fougueux que vous avez reçu avant de commencer ne vous a guère perturbée...

— C'était un pari, Max, expliqua Iris, trop lasse pour le prier de se mêler de ses affaires. Un pari de futur marié qui enterre sa vie de garçon. Les amis de Josh sont tous d'anciens camarades d'école. Ils ont trouvé ça drôle de le mettre au défi de m'embrasser.

Max l'enveloppa d'un regard dubitatif. A l'évidence, il ne partageait pas leur sens de l'humour.

Et alors ? En quoi se sentait-elle concernée par l'opinion d'un simple client de l'hôtel, un homme qui ne tarderait pas à disparaître de sa vie ?

Pourtant, elle devait bien admettre que son empressement à la sauver des griffes du prétendu importun lui avait semblé très chevaleresque. Emportée par son imagination débordante, elle comprenait mieux pourquoi les dames d'autrefois se pâmaient dans les bras de leur preux sauveteur... Et il ne faisait aucun doute que Max aurait terrassé Josh si elle n'était pas intervenue à temps !

S'arrachant à contrecœur à sa rêverie romanesque, elle exhala un soupir et secoua sa longue chevelure d'ébène.

— Il se fait tard, je dois partir.

Il fallait surtout qu'elle fuie le magnétisme de Max avant qu'il ne soit trop tard... Inclinant la tête de côté, ce dernier l'enveloppa d'un regard pénétrant.

— Vous avez l'air épuisée, en effet. Voulez-vous que j'appelle un taxi ?

Iris esquissa un sourire reconnaissant.

— C'est gentil, mais ce ne sera pas la peine. Je ne travaille pas demain soir, il faudrait donc que je revienne spécialement ici dans la journée pour récupérer ma voiture... Non, ce serait une perte de temps.

— Et si je passais vous prendre ? suggéra son compagnon d'un ton dégagé. Comme ça, vous pourriez me présenter à votre famille.

Et comme ça, il ne serait plus le parfait inconnu qu'elle lui reprochait d'être un moment plus tôt... Habile manœuvre, il fallait bien l'admettre... mais non, elle ne tomberait pas dans le panneau !

— Je ne crois pas que ce soit une bonne idée, désolée, dit-elle en se levant, impatiente de mettre un terme à leur tête-à-tête.

Max se leva à son tour, la dominant de sa haute taille.

— Ça ne me pose aucun problème, je vous assure, insista-t-il. Et puis, John m'a raconté tout à l'heure qu'un rôdeur traînait dans les parages...

Ils saluèrent le barman qui lavait les derniers verres avant de se diriger vers le hall de réception.

Max venait de marquer un point. Jusque-là, le Maniaque Noctambule avait agressé ses proies dans des coins isolés et déserts, en rase campagne par exemple... Cela dit, il n'y avait plus grand monde dans le parking de l'hôtel, à cette heure-ci.

— C'est exact, admit Iris en esquissant une petite grimace. Il y a eu six agressions en six mois.

A ces mots, le visage de Max s'assombrit.

— Vous tenez toujours à rentrer chez vous toute seule... ?

Comme elle acquiesçait d'un signe de tête, il reprit avec fermeté :

— Dans ce cas, je vous accompagne au moins jusqu'au parking.

— Il est très bien éclairé.

— Il est hors de question que je vous laisse regagner seule votre voiture.

Devant son expression déterminée, Iris renonça à lui faire remarquer qu'elle allait chercher sa voiture sur le parking de l'hôtel trois soirs par semaine. Toutes les semaines. Et qu'elle continuerait à s'y aventurer après son départ.

— J'ai l'impression d'entendre Lila, ma sœur aînée ! plaisanta-t-elle comme il l'aidait à enfiler son manteau en prévision du froid mordant de la nuit hivernale.

Max arqua un sourcil indigné.

— Ça ne me dit rien qui vaille…

Iris pouffa.

— Si ça peut vous rassurer, je suis très attachée à mes deux sœurs.

— Me voici soulagé, merci, dit Max d'un ton narquois.

Une brise glaciale les enveloppa dès qu'ils quittèrent l'enceinte de l'hôtel. Avant qu'elle ait le temps de réagir, Max glissa un bras sur ses épaules. Elle fronça les sourcils. C'était agréable de sentir ce bras chaud et puissant autour d'elle, inutile de le nier… En revanche, le doux vertige qui l'envahit au contact de ce grand corps viril fit naître en elle une vive inquiétude.

C'était la première fois qu'elle rencontrait un homme comme Max. Aussi séduisant et sûr de lui, aussi… excitant !

« Aie au moins l'honnêteté de le reconnaître, Iris, songea-t-elle en continuant d'avancer à son côté. Cet homme te fascine, que ça te plaise ou non ! »

Etait-ce le terme adéquat pour décrire le trouble qui la gagnait chaque fois qu'elle se trouvait en sa présence ? Son cœur battait à coups redoublés dans sa poitrine, son pouls tressautait, affolé, tandis qu'un flot de sang envahissait son visage.

— Non, vraiment, c'était plutôt un compliment, cette comparaison avec ma grande sœur, reprit-elle, pressée d'atteindre sa voiture pour se ressaisir enfin. En tant que petite dernière, j'ai toujours reçu une tonne de conseils de la part de mes sœurs. Même Capucine, la seconde, s'y met de temps en temps.

Elle marqua une pause, esquissa une moue amusée.

— Et c'est la plus impétueuse de nous trois !

41

— Iris, Capucine. Et Lila, énuméra Max, songeur. Trois noms de fleur.

— Oh, il y a une explication très rationnelle à cela, déclara Iris en s'immobilisant devant sa petite voiture. Voyez-vous...

— Ce que je vois en ce moment, Iris, c'est la plus jolie jeune femme qu'il m'ait été donné de rencontrer, coupa Max d'une voix suave. Je n'ai rien vu d'autre depuis trente-six heures que je suis là.

Parcourue d'un frisson, Iris plongea son regard dans celui, captivant et profond, de son compagnon.

— Iris..., murmura-t-il en se penchant vers elle pour réclamer ses lèvres.

Dans un geste fluide, il fit glisser son bras autour de sa taille et l'attira tout contre lui, dans la chaleur de son corps musclé.

Ainsi, c'était ça, lâcher prise et partir à la dérive, songea Iris quelques instants plus tard ; on commençait par se battre, on tentait de résister à l'irrésistible puis finalement, on se laissait aller avec délice, emporté par une force magnétique.

Elle ne savait rien de cet homme, mis à part le peu qu'il avait consenti à lui livrer. Elle ne connaissait même pas son nom de famille, songea-t-elle soudain, stupéfaite, et pourtant...

Incapable de suivre le cours de ses pensées, elle se pressa contre Max, enivrée par son parfum et sa chaleur, électrisée par la caresse de ses lèvres, à la fois douces et exigeantes.

Chancelante, elle s'accrocha à ses épaules puis enfouit une main dans l'épaisseur soyeuse de ses cheveux.

Max laissa échapper un gémissement de plaisir. En même temps, son baiser s'intensifia. Plus possessives, ses lèvres capturèrent de nouveau les siennes tandis que sa langue forçait doucement leur barrage.

Pour la première fois de sa vie, Iris eut la sensation de ne faire plus qu'un avec un autre être ; c'était comme si elle faisait partie intégrante de Max — et vice versa. Ils se fondaient parfaitement l'un en l'autre, tels deux...

De minuscules aiguilles glacées transpercèrent son visage empourpré et elle ouvrit les yeux à contrecœur, arrachée au délicieux vertige qui l'avait engloutie, l'espace de quelques instants. Une myriade de flocons de neige tombait du ciel dans un silence cotonneux.

Etouffant un grognement contrarié, Max mit un terme à leur baiser avant d'esquisser une moue dépitée.

— Ça vaut une douche glacée, plaisanta-t-il en levant les yeux au ciel.

Il reporta son attention sur Iris. Voilé par le désir, son regard la fit tressaillir.

— Après tout, c'est peut-être mieux comme ça. Quand je vous ferai l'amour pour la première fois, j'aimerais que ce soit dans un endroit plus intime et plus confortable !

Iris se libéra de son étreinte et fit mine de chercher ses clés de voiture, en proie à une vive confusion. La première fois qu'il lui ferait l'amour... Doux Jésus, n'allait-il pas un peu vite en besogne ? Que leur arrivait-il, bon sang ?

— Iris... ?

Glissant une main sous son menton, Max l'obligea à le regarder. Elle était très pâle, tout à coup.

— Il faut vraiment que je rentre, Max, bredouilla-t-elle, réprimant un soupir de soulagement lorsqu'elle repéra enfin ses clés au fond de son sac à main. Il est tard...

— Ou encore tôt, coupa-t-il d'un ton léger, ça dépend sous quel angle on se place, n'est-ce pas ? J'ai bien l'intention de vous revoir, Iris, ajouta-t-il, soudain sérieux. Demain. Puis-je vous inviter à déjeuner ?

En avait-elle envie ? Etait-elle disponible ? Oserait-elle dire oui ?

Car si elle acceptait de le revoir, la scène qu'ils venaient de vivre se reproduirait inévitablement et cette fois, il n'y aurait pas moyen de se dérober, Iris en était tout à fait consciente. Déjà, tout son corps tremblait de désir, réclamant silencieusement d'autres baisers, d'autres caresses.

Alors, que décidait-elle ? Que *voulait-elle* ?

— J'accepte volontiers votre invitation, s'entendit-elle répondre en baissant les yeux de peur qu'il n'y décèle l'intensité de son désir. C'est gentil de votre part.

— Gentil... c'est drôle, ce n'est pas le terme que j'aurais choisi, répliqua Max d'un ton taquin. Mais je saurai m'en contenter. Etes-vous sûre de pouvoir rentrer chez vous par ce temps ? enchaîna-t-il en contemplant, sourcils froncés, les flocons qui tombaient dru autour d'eux.

Avait-elle vraiment le choix ? Si Max était loin de la laisser insensible, elle ne tomberait pas pour autant dans ses bras dès le premier soir... Qu'allait-il donc s'imaginer ?

— Ça va aller, ne vous inquiétez pas, répondit-elle en ouvrant sa portière. C'est le nord de l'Angleterre, ici, Max ; nous sommes habitués à conduire sous la neige. Si on laissait la météo dicter notre vie, on ne ferait pas grand-chose, croyez-moi !

— J'imagine, concéda-t-il. Où nous retrouverons-nous pour déjeuner ?

44

Iris, qui venait de se glisser au volant de sa voiture, leva les yeux sur lui.

— Pourquoi pas ici ? A 12 h 30, qu'en dites-vous ? Je connais un pub plein de charme à quelques kilomètres ; la carte dominicale est excellente.

Ce serait beaucoup mieux ainsi : employée de l'hôtel, elle n'avait aucune envie d'être vue en train de déjeuner avec un client... et surtout pas Max !

— Entendu.

Hochant légèrement la tête, il se pencha vers elle.

— Vous ne changerez pas d'avis d'ici là, j'espère ? ajouta-t-il d'une voix rauque.

Iris réprima un sourire.

— Je serai là à 12 h 30, promis, répondit-elle en frissonnant comme une bourrasque de vent s'engouffrait dans l'habitacle de la voiture. Brrr...

— Désolé, dit Max en reculant promptement.

Iris ferma la portière et baissa sa vitre.

— Rentrez vite, conseilla-t-elle avant de tourner la clé de contact.

A son grand soulagement, le moteur démarra au quart de tour. Pour une fois que sa vieille guimbarde obéissait sans rechigner !

— Vous êtes trempé comme une soupe ! ajouta-t-elle en contemplant d'un air désolé le costume coupé sur mesure et les élégantes chaussures en cuir de Max.

— Je rentrerai dès que vous serez partie, dit-il d'un ton buté. C'est la moindre des choses !

Cette fois, Iris ne put s'empêcher de sourire. A l'évidence, Max n'avait pas l'habitude qu'on lui tienne tête.

— Alors à demain ! lança-t-elle en agitant la main par la vitre.

Elle dépassa John qui se dirigeait vers sa voiture, le gratifia d'un salut amical et quitta le parking pour s'engager sur la route déserte.

Au terme d'un trajet ralenti par la neige, elle atteignit enfin la ferme familiale, gara la voiture dans la cour. Ses épaules et sa nuque étaient douloureuses, crispées par la tension accumulée pendant le voyage.

Max n'était pas complètement étranger à ces courbatures, songea-t-elle en sortant de la voiture. Max, et les émotions aussi incontrôlables qu'inédites qui la submergeaient en sa présence.

Heureusement, toute trace de tension disparut dès qu'elle promena son regard sur le paysage qui l'entourait. Drapées d'un linceul blanc, les collines alentour surplombaient la campagne paisible. Toutes les terres qu'elle pouvait distinguer leur appartenaient, songea-t-elle, envahie par un agréable sentiment de sérénité. Elles travaillaient dur, certes, parfois pour pas grand-chose, dans des conditions souvent défavorables, mais ce domaine était à elles, bien à elles.

Et rien ni personne ne le leur ôterait...

Elle avait dix minutes de retard sur l'heure de leur rendez-vous, constata Max en jetant un coup d'œil contrarié à la montre en or qui ornait son poignet. Etouffant un juron, il se remit à arpenter le hall de réception de l'hôtel.

D'une ponctualité exemplaire, Max était doublement agacé par le retard d'Iris. *Primo,* il ne supportait pas qu'on ne soit pas à l'heure à un rendez-vous ; *secundo,* l'hypothèse qu'Iris se dérobe une fois de plus à sa promesse hantait son esprit, terriblement frustrante.

46

L'avait-il effrayée, la veille au soir ? Peut-être n'aurait-il pas dû l'embrasser avec tant de fougue… ?

Mais ç'avait été plus fort que lui : à peine l'avait-il prise dans ses bras qu'un désir brûlant l'avait envahi, le poussant à goûter à ses lèvres avec une passion sans retenue. Mal contenue, en tout cas, rectifia-t-il en son for intérieur. Car s'il avait écouté ses envies, il ne se serait certainement pas contenté d'un baiser, aussi sensuel fût-il !

Lové dans ses bras, le corps d'Iris était souple et chaud ; sa poitrine ronde et haut perchée se pressait ardemment contre son torse, ses cuisses frôlaient les siennes… Il lui avait fallu faire appel à toute sa force de volonté pour lutter contre l'envie de la soulever dans ses bras et l'emmener jusqu'à sa chambre. Là, il aurait exploré avec délice chaque centimètre carré de son corps frémissant de désir… Ses lèvres et ses mains auraient suivi chacune de ses courbes voluptueuses…

« Arrête ça tout de suite, Max ! » s'exhorta-t-il *in petto*. Il avait passé une nuit agitée, d'abord rongé par l'inquiétude à l'idée qu'Iris puisse avoir un accident sur la route enneigée. Il avait longuement regretté de ne pas lui avoir demandé de l'appeler une fois arrivée à bon port. Finalement, l'inquiétude avait cédé la place au désir qui couvait toujours en lui, frustrant, presque douloureux. Pour la première fois de sa vie, il avait dû se lever pour prendre une douche en pleine nuit, dans le seul but de calmer ses ardeurs. C'était tout simplement incroyable !

De nouveau, il jeta un coup d'œil à sa montre. Elle avait à présent un quart d'heure de retard !

— Excusez-moi… monsieur Golding, c'est bien ça ?

Avec un soupir impatient, il se tourna vers la réceptionniste qui s'était adressée à lui d'une voix mal assurée.

— On vous demande au téléphone, expliqua-t-elle en montrant du doigt le combiné qui reposait sur le comptoir.

Sourcils froncés, Max se dirigea vers l'appareil. C'était Jude, sans aucun doute, qui venait aux nouvelles. Il ne manquait plus que ça !

— Allô ? dit-il d'un ton sec.

— Max ?

La voix d'Iris résonna à l'autre bout du fil, pleine d'hésitation. Max s'efforça de refouler la colère qui bouillonnait en lui... en vain.

— Où êtes-vous, bon sang ?

— Eh bien... pour le moment, je suis chez moi...

— Vous devriez être ici, à l'hôtel ! coupa Max en serrant le combiné avec force.

— Il y a encore cinq minutes, j'étais au volant de ma voiture, coincée dans le fossé, poursuivit Iris. Max, je suis vraiment désolée... J'étais pourtant partie en avance pour être sûre d'arriver à l'heure mais la voiture a glissé sur une plaque de verglas, j'ai perdu le contrôle et... et je me suis retrouvée dans le fossé. Je n'ai pas pu vous prévenir plus tôt...

— Etes-vous blessée ? demanda Max, furieux de s'être emporté.

— J'ai juste une petite bosse sur le front. C'est la voiture qui a le plus souffert. Je crains qu'elle ne soit bonne pour la casse.

— Au diable la voiture. Ça se remplace facilement. Vous, non.

— C'est vous qui le dites, objecta Iris en laissant échapper un petit rire nerveux. Je veux dire, pour la voiture... Pour ma part, c'est le genre de dépense que j'aurais préféré éviter. Enfin, n'en parlons plus, enchaîna-t-elle promptement. Etant donné que notre déjeuner est tombé à l'eau, que diriez-vous de dîner ensemble ce soir ? Capucine veut bien me prêter sa voiture... à condition que je lui promette d'éviter les fossés, conclut-elle avec humour.

Des images terribles défilèrent dans l'esprit de Max, la voiture d'Iris pliée en deux sur le bas-côté, la jeune femme couchée sur le volant... Dire qu'il avait failli la perdre alors qu'il venait à peine de la rencontrer !

— Il serait peut-être plus sage que je vienne vous chercher, qu'en pensez-vous ? suggéra-t-il, rongé par l'angoisse. Si l'un d'entre nous doit finir dans le fossé, je préfère que ce soit moi.

— Non, je préfère vous rejoindre, répondit-elle précipitamment.

— Je vous en prie, Iris, ce n'est pas parce que vous me présenterez à votre famille qu'ils vont tout de suite nous imaginer fiancés ou je ne sais quoi. Considérez uniquement l'aspect sécuritaire, voulez-vous ? Je ne voudrais surtout pas...

— Max, ma famille n'a absolument rien à voir là-dedans, coupa Iris d'un ton un peu embarrassé. Le fait est que j'habite un endroit plutôt isolé, perdu dans les collines. Ce serait un vrai casse-tête de devoir vous indiquer le chemin.

Elle marqua une pause avant de conclure :

— Nous devrions peut-être annuler notre rendez-vous, tout simplement. La météo ne joue pas en notre faveur et...

— Non ! Non, Iris, je suis désolé mais il est hors de question que je renonce à vous voir aujourd'hui, déclara Max d'un ton qui n'admettait pas de réplique.

Un petit silence suivit sa tirade.

— Je ne le souhaite pas non plus, avoua finalement Iris dans un murmure.

Le cœur de Max se mit à battre plus vite.

— Alors c'est d'accord pour le dîner. Rendez-vous ici, à l'hôtel, à 19 h 30.

— Entendu, dit Iris à mi-voix. Oh, Max, avant de raccrocher, j'ai encore une petite question à vous poser...

— Je vous écoute.

— Ne croyez-vous pas qu'il serait bon de me donner votre nom de famille ? J'avoue que c'était un peu gênant de demander à Patty si elle ne voyait pas un client arpenter le hall de l'hôtel d'un air furibond quand j'ai appelé la réception tout à l'heure. Je ne connais même pas votre nom de famille !

Cette pensée ne lui avait pas effleuré l'esprit, Max en convint aisément. Tout bien réfléchi, il ne connaissait pas non plus celui d'Iris et jusqu'à présent, cela ne l'avait guère préoccupé ! Seule comptait l'exquise jeune femme qui occupait toutes ses pensées depuis qu'il l'avait rencontrée, cette ravissante créature qui répondait au doux nom d'Iris...

— Golding, répondit-il d'un ton rieur. Je m'appelle Maxime Patrick Golding.

Un silence pesant s'installa à l'autre bout du fil. Comme il se prolongeait, chargé d'une tension presque palpable, Max reprit la parole.

— Iris ?

— Golding... c'est... c'est bien votre nom de famille ? reprit-elle enfin d'une voix étranglée.

— Oui, c'est ça. Iris, que se...

— Alors vous êtes le fameux *M.P. Golding* ?

Les doigts de Max se crispèrent autour du combiné. Le mélange de stupeur et d'incrédulité qui perçait dans la voix d'Iris n'augurait rien de bon. Absolument rien de bon.

— Je viens de décliner mon identité, il me semble, déclara-t-il, gagné par une sourde appréhension.

Pourquoi diable avait-elle répété son nom de cette façon si formelle : M.P. Golding, comme s'il était l'auteur d'un livre ou bien... ou bien... !

— Iris, quel est votre nom de famille ? s'empressa-t-il de demander, en proie à un douloureux pressentiment.

— Mon prénom et celui de mes sœurs ne vous disent rien ? Iris, Capucine et Lila... Allons donc, monsieur Golding, je suis sûre que vous trouverez sans peine la clé de l'énigme. Adieu... monsieur Golding !

— Iris...

La voix de Max se brisa à l'instant où la tonalité s'élevait à l'autre bout du fil. Le visage blême, il raccrocha le combiné. La vérité venait d'éclater dans son esprit, aussi stupéfiante qu'embarrassante.

Iris, Capucine, Lila... C'était plus qu'une simple coïncidence, comment n'y avait-il pas songé plus tôt ? Avec leurs prénoms de fleur, les trois sœurs ne pouvaient que se nommer Mayflower. Iris Mayflower... le nom virevolta dans son esprit confus.

Zut, zut, zut et zut !

4.

— Iris, où diable cours-tu comme ça ? demanda Lila
en la suivant dehors.

Sans prendre la peine de ralentir le pas, Iris traversa
la cour.

— Je vais dégager ma voiture, quelle question !

— Attends au moins que le temps s'améliore ; rien ne
presse, voyons ! protesta Lila tandis qu'Iris montait dans
la cabine du tracteur. De toute façon, tu as dit toi-même
qu'elle était bonne pour la casse.

Iris fit la grimace. Elle n'avait pas exagéré : toute l'aile
avant, côté conducteur, avait plié sous le choc lorsque
la voiture avait plongé dans le fossé. Mais au moins,
il ne neigeait plus et Iris avait désespérément besoin
d'une occupation pour éviter de réfléchir. De penser
tout court, d'ailleurs !

M.P. Golding ! Le nom avait traversé son esprit
comme un éclair tandis qu'au même instant lui revenait
à la mémoire la signature de l'avocat qui figurait au bas
de la lettre qu'elles avaient reçue quelques jours avant
Noël — un courrier de la Marshall Corporation qui leur
proposait de racheter leur ferme. Etait-ce lui, l'avocat qui
était passé à la ferme la veille pour tenter de convaincre
Lila de vendre l'exploitation agricole ?

Iris avait la désagréable impression de vivre un cauchemar éveillée ! Malgré ses efforts, elle n'arrivait pas à penser à autre chose.

— Je ne peux tout de même pas abandonner la voiture dans le fossé, argua-t-elle en haussant les épaules.

— Ça peut attendre un jour ou deux, jusqu'à ce que le temps soit plus clément, insista sa sœur.

Iris secoua la tête d'un air buté.

— Je préfère m'en occuper tout de suite.

— Enfin, Iris, qu'est-ce qui ne va pas ? voulut savoir Lila en la dévisageant d'un air inquiet. Tu étais gaie et joyeuse ce matin, avant l'accident. Et si ce n'était pas une simple bosse ? On devrait peut-être appeler le Dr Young...

— Ce n'est pas la peine, répondit-elle d'un ton plus abrupt qu'elle n'aurait voulu.

S'exhortant au calme, elle gratifia sa sœur d'un sourire contrit.

— C'est juste une bosse, je t'assure.

Et la douleur qui lui martelait la tempe n'était rien comparée à celle qui lui transperçait le cœur. Aucun médicament n'aurait pu la soulager, hélas !

— Ecoute, je vais juste voir si je peux dégager la voiture sans appeler une dépanneuse, d'accord ? reprit-elle d'un ton radouci. Le grand air me fera du bien.

Lila fronça les sourcils, visiblement peu convaincue.

— Tu n'avais pas prévu de sortir, ce soir ?

Iris cligna des yeux, incapable de soutenir le regard inquisiteur de sa sœur.

— Il y a eu un changement de programme. Il fait un froid de canard, Lila, rentre vite à l'intérieur. Je ne serai pas longue, promis.

Lila exhala un soupir.

— Bon, d'accord. Je vais préparer le thé en t'attendant.

Soulagée, Iris démarra le tracteur et salua sa sœur d'un petit signe de la main avant de sortir de la cour. Elle avait besoin d'être seule pour mettre de l'ordre dans ses pensées. Inévitablement, mille et une questions la taraudaient au sujet de Max Golding. Une, surtout, la plongeait dans un profond désarroi : malgré l'étonnement qu'il avait manifesté avant qu'elle raccroche brusquement, savait-il qui elle était, depuis le début ? Dans ce cas, était-ce précisément pour cette raison qu'il s'intéressait à elle ? Avait-il fomenté un plan machiavélique dans le seul but de semer la zizanie entre les trois sœurs qui, de guerre lasse, auraient alors accepté de lui céder l'exploitation familiale ?

C'était sa plus grande angoisse, une crainte terrible qui lui serrait le cœur et lui nouait l'estomac. Parce que la veille au soir, lorsqu'ils avaient échangé ce baiser passionné, Iris avait senti au plus profond d'elle-même qu'elle était en train de tomber amoureuse de Max… pire : qu'elle était peut-être déjà amoureuse de lui.

Cet homme incarnait tous ses rêves de jeune fille, à l'époque où elle croyait encore au prince charmant : brillant, raffiné, terriblement séduisant, il dégageait un charisme et une confiance en soi qui l'avaient aussitôt séduite.

Un coup de foudre, en quelque sorte !

Mais elle alors, que représentait-elle exactement pour lui ? Cette question ne cessait de la hanter, cruelle et douloureuse. Une chose était sûre, en tout cas : dès que Max aurait repris ses esprits, il n'hésiterait pas à la rejoindre ici, chez elle. Si elle voulait l'éviter, tous les prétextes seraient bons pour se tenir à l'écart de la ferme au cours des jours à venir !

Elle venait de négocier le premier virage du chemin enneigé lorsqu'elle aperçut une voiture qui remontait lentement dans le sens contraire, bloquant sa progression. Elle retint son souffle : le conducteur du véhicule n'était autre que Max Golding !

Iris freina si brutalement que le tracteur s'ébroua dans un vacarme assourdissant. De son côté, Max pila lui aussi et sa voiture dérapa légèrement sur le chemin verglacé.

La jeune femme le contempla d'un air horrifié. Comment aurait-elle pu imaginer qu'il prendrait la route aussitôt après leur conversation téléphonique ? Elle ne s'était pas attendue à le voir avant le lendemain, convaincue qu'il aurait lui aussi besoin de mettre de l'ordre dans ses pensées avant de l'affronter.

Dès qu'il sortit de la voiture, Iris se rendit compte de son erreur. Il avait troqué son costume sur mesure et ses chaussures cousues main — celles-là même que Lila avait pris tant de plaisir à voir couvertes de boue la veille — contre un jean, un pull bleu marine et de grosses chaussures de randonnée en nubuck. A l'évidence, sa première visite lui avait servi de leçon !

Les doigts d'Iris se crispèrent sur le volant du tracteur comme il approchait à grandes enjambées, le visage sombre. Avaient-ils encore seulement quelque chose à se dire, tous les deux ?

« L'attaque est la meilleure des défenses », leur avait déclaré un jour leur père ; forte de cet adage, Iris ouvrit la portière de la cabine et sauta à terre avant de se tourner vers Max, tête haute, menton relevé en signe de défi.

— Je n'étais pas au courant, Iris, lança-t-il sans ambages.

Elle esquissa un sourire sans joie.

— Qu'ignoriez-vous, monsieur Golding ? Que je m'appelais Mayflower ? Que j'étais l'une des trois propriétaires de la ferme que votre entreprise s'efforce d'acquérir par tous les moyens ? Notre rencontre aurait été purement fortuite et comme par hasard, vous vous seriez mis en tête de me séduire... Désolée, monsieur Golding, mais étant donné les circonstances, vous comprendrez que j'aie un peu de mal à vous croire !

Le visage de Max s'assombrit encore.

— Je comprends votre scepticisme mais hélas, je ne peux que vous répéter que j'ignorais complètement votre nom de famille jusqu'à tout à l'heure. Je ne savais pas qui vous étiez, Iris, je vous assure !

« Et moi, je ne peux que vous répéter que je ne vous crois pas ! » songea Iris en toisant Max d'un air de profond mépris.

— Qu'êtes-vous venu faire ici, monsieur Golding ? Je crois savoir que ma sœur Lila s'est montrée parfaitement claire avec vous : nous ne sommes aucunement intéressées par...

— Je vous en prie, Iris, cessez de me donner du « monsieur Golding » sur ce ton condescendant, coupat-il sèchement. Vous m'appeliez Max, si mes souvenirs sont bons. Je suis toujours Max.

Il s'appelait toujours Max, certes, mais il n'était plus le même. Il incarnait la menace qui pesait sur l'avenir de la ferme. Leur pire ennemi, en quelque sorte. Manipulateur, dissimulateur...

— Pour votre information, oui, Lila m'a clairement fait comprendre que vous n'aviez pas l'intention de vendre

56

la ferme, reprit-il. Maintenant que je connais votre lien de parenté, votre ressemblance me semble évidente, si l'on excepte la couleur des yeux.

— Vraiment ? dit Iris sans cacher son incrédulité. Dans ce cas, vous allez tomber des nues quand vous verrez Capucine — ou plutôt, si vous la voyez un jour. Notre père nous comparait en riant à trois gouttes d'eau, conclut-elle en haussant les épaules.

— J'ai dit qu'il existait une ressemblance indéniable, Iris. Mais votre charme et votre voix sont uniques.

Iris esquissa une moue ironique.

— Bien sûr... Maintenant, si vous voulez bien bouger votre voiture ; certains d'entre nous ont du pain sur la planche, voyez-vous.

Max la dévisagea avec attention, sourcils froncés.

— C'est ça, votre « petite bosse » au front ?

Instinctivement, Iris porta une main gantée à sa tempe douloureuse. Elle n'avait aucune envie de confier ses soucis, petits ou grands, à Max Golding !

— Iris ?

— Oui, c'est bien ça, admit-elle à contrecœur. Ecoutez, vous n'avez qu'à vous servir de l'entrée du chemin, derrière vous, pour faire demi-tour...

— Je ne suis pas en train de parler de ça, Iris.

Les yeux de la jeune femme lancèrent des éclairs.

— Eh bien, moi, je n'ai pas envie de vous parler tout court ! A bon entendeur, salut !

Sur ce, elle pivota sur ses talons avec l'intention de remonter dans le tracteur.

Une poigne de fer s'abattit sur son bras. L'instant d'après, Max la força à lui faire face.

— J'ai plusieurs choses à vous dire, déclara-t-il d'un ton sans réplique.

57

Ses prunelles bleues étincelaient dangereusement.

— Avant toute chose, laissez-moi vous répéter que j'ignorais tout de votre lien avec la ferme Mayflower...

— Et moi, je vous redis que je n'en crois pas un mot !

Max se figea.

— Je ne vous mens pas, Iris, martela-t-il froidement. Etes-vous allée voir le médecin après votre accident ? enchaîna-t-il sans transition.

Iris eut du mal à réprimer un sourire.

— Faites attention, vous recommencez à parler comme ma sœur Lila...

La bouche de Max prit un pli ironique.

— Si votre sœur aînée s'inquiète autant pour vous, je crois bien qu'elle va me plaire.

Un flot de sang envahit le visage d'Iris.

— Si vous voulez mon avis, la réciproque ne sera pas vraie !

Max secoua la tête.

— Je ne suis pas venu ici pour récolter des marques de sympathie. Je voulais juste m'assurer que vous ne souffriez d'aucun traumatisme après le choc que vous avez subi...

— J'irais parfaitement bien si vous n'étiez pas venu me narguer jusqu'ici ! rétorqua Iris en se libérant d'un geste brusque. Allez-vous vous décider à pousser votre voiture ou vais-je être obligée de la contourner en mordant dans le champ ?

« Allez-vous-en, je vous en prie », implora-t-elle en silence. S'il ne s'exécutait pas dans les secondes à venir, elle risquait de fondre en larmes ! Pour le moment, la colère lui permettait de tenir bon... mais pour combien de temps encore ?

Max la considéra d'un air désemparé. Il avait là devant lui, indéniablement, la créature la plus têtue, la plus obstinée qu'il...

Plus têtue, plus obstinée que lui ? Peut-être pas, au fond.

A cet instant précis, Iris était tout simplement furieuse contre lui, convaincue qu'il lui avait menti pour parvenir à des fins purement professionnelles. Et pour le moment, il ne trouvait aucun argument propre à apaiser sa rancœur. Pire : lui-même avait le sentiment d'être coincé dans une impasse, ayant toujours refusé de mêler affaires et plaisir.

Iris Mayflower... Le destin n'était-il pas facétieux ? Il aurait pu tomber sous le charme de mille autres femmes... Eh bien, non, il avait fallu qu'il jette son dévolu sur l'une des trois sœurs Mayflower, comme un fait exprès !

Décidément, oui, le hasard était joueur mais il l'avait affronté à plusieurs reprises par le passé et en était sorti victorieux. Cette fois encore, il pourrait l'emporter... s'il en avait réellement envie. Là était le problème, à vrai dire. Il était véritablement tombé des nues en apprenant l'identité d'Iris et une grande confusion régnait encore dans son esprit.

Désireux de briser le silence qui se prolongeait, il posa la première question qui lui passa par la tête.

— J'imagine que notre dîner de ce soir est annulé ?

Les yeux d'Iris virèrent au gris orage.

— Vous voyez juste, en effet !

— Parfait... Etant donné que je n'ai pas d'autre projet pour aujourd'hui et que je suis presque arrivé à la ferme, je crois que je vais tenter de renouer le dialogue avec vos sœurs.

Iris le toisa avec dédain.

— Vous perdriez votre temps !

Max haussa les épaules.

— Je fais ce que je veux de mon temps.

— Ah bon ? Je croyais au contraire que votre temps appartenait à la Marshall Corporation.

Elle n'avait pas complètement tort. Depuis presque quinze ans, la Marshall Corporation régentait le plus clair de sa vie ; jamais il n'avait connu les horaires de bureau auxquels un avocat « ordinaire » aurait pu prétendre dans n'importe quel cabinet juridique. N'ayant aucune obligation familiale, propriétaire d'un appartement londonien qu'il honorait trop rarement de sa présence pour s'y sentir vraiment chez lui, Max ne s'était jamais plaint de ces horaires exigeants. Bien au contraire.

Toutefois, le mépris qui perçait dans la voix d'Iris l'irrita profondément.

— Figurez-vous que j'ai moi aussi des jours de congé en plus de mes week-ends, Iris, répliqua-t-il, conscient de formuler un demi-mensonge.

En quinze ans de carrière, il aurait pu compter sur les doigts d'une main les jours de congé qu'il s'était accordés. Bizarrement, cela ne lui avait jamais posé de problème. Et puis, ses affaires le conduisaient dans des endroits tellement exotiques qu'il n'avait aucun mal à se détendre, même entre deux dossiers.

— Il me semble pourtant que vous avez même travaillé le soir du réveillon, non ? reprit Iris.

A ces mots, les traits de Max s'assombrirent. Ainsi, elle n'en démordait pas ; elle était réellement persuadée qu'il avait tout manigancé — la tactique d'approche, l'offensive de séduction — dans le seul but de s'emparer de la ferme familiale. Dans ce cas, elle portait sur lui un bien piètre jugement...

Une chose était sûre, en revanche : vu les circonstances exceptionnelles, il lui était désormais impossible d'envisager une aventure aussi brève que passionnée avec Iris.

A court d'arguments, il inspira profondément.

— Je vais pousser ma voiture.

Devant cette capitulation soudaine, les yeux de la jeune femme s'arrondirent de surprise.

— Vous perdez votre temps en montant à la ferme, déclara-t-elle avec un calme qu'elle était loin d'éprouver. Mes sœurs et moi n'avons pas l'intention de vendre.

Il haussa de nouveau les épaules.

— Si c'est votre dernier mot, je transmettrai le dossier à quelqu'un d'autre.

En fait, il espérait de tout cœur pouvoir se débarrasser de cette épineuse mission ! En face de lui, Iris le considéra d'un air soupçonneux.

— Serait-ce une menace ?

— Non... absolument pas ! Comprenez-moi bien, Iris : personne ne peut vous contraindre à vendre si vous ne le désirez pas.

En prononçant ces paroles, Max prit conscience qu'une fois de plus, il travestissait quelque peu la vérité. Jude n'était pas du genre à essuyer un refus sans se battre avec acharnement. En l'occurrence, il ne reculerait devant rien pour obtenir les terres des trois sœurs Mayflower, ce domaine qu'il convoitait tant.

D'ailleurs, Iris ne semblait guère convaincue...

— Il fait un froid glacial, reprit-il d'un ton bourru en détournant le regard. Je vais libérer le passage. Au fait, votre voiture est dans un triste état.

Il avait senti sa gorge se nouer en passant à côté du véhicule accidenté, un moment plus tôt. Imaginer Iris au volant de la voiture qui dérapait violemment, incontrôlable, l'avait plongé dans une profonde angoisse.

Piètre consolation, Iris ne prendrait plus de risque sur la route en allant le rejoindre ; il était clair qu'elle n'accepterait plus aucun rendez-vous avec lui !

« Rassemble tes affaires et pars vite d'ici », ajouta-t-il *in petto,* bien décidé à oublier ce fâcheux épisode. Combien de fois avait-il agi ainsi dans le passé ? De toute façon, il ne restait jamais assez longtemps dans un endroit pour s'attacher à une femme. Pourquoi en serait-il autrement avec Iris Mayflower ? Une chose le tracassait pourtant, presque malgré lui : c'était la première fois qu'il éprouvait une attirance aussi forte, aussi indomptable...

Raison de plus pour quitter les lieux sans demander son reste !

Malheureusement, en regagnant l'hôtel après une discussion aussi houleuse qu'infructueuse avec Lila et Capucine Mayflower, Max découvrit que Jude, son patron et ami, ne l'entendait pas de cette oreille.

— Tu n'as sans doute pas su trouver les bons arguments, fit observer ce dernier après que Max lui eut rapporté au téléphone les derniers développements de l'affaire. Sans vouloir t'offenser, je ne vois pas ce qu'il y a de si difficile à convaincre trois vieilles filles d'aller vivre dans un petit pavillon confortable plutôt que se tuer à la tâche pour maintenir en vie une exploitation qui ne sera jamais rentable !

« Trois vieilles filles »... Malgré lui, Max esquissa un sourire amusé. Il voyait d'ici la tête des trois sœurs, toutes aussi belles que rayonnantes, si elles avaient entendu Jude les traiter avec autant de condescendance ! En arrivant à la ferme, il avait eu la bonne surprise d'y trouver Capucine, la seule qu'il n'avait encore jamais rencontrée. La ressemblance physique qui existait entre les trois jeunes femmes était saisissante. Toutefois, chacune possédait une personnalité bien à elle et en l'occurrence, il s'était vite rendu compte que Capucine était la plus virulente des trois. Avec des termes pour le moins imagés mais sans équivoque, elle lui avait signifié ce que la Marshall Corporation — et lui, du même coup — pouvait faire de sa proposition d'achat. Et si Lila s'était montrée plus courtoise, sa réponse avait été identique. C'était un non ferme et définitif.

Pour une raison qu'il refusa d'analyser, Max ne corrigea pas Jude quant à l'âge des trois sœurs. Fin psychologue, Jude n'aurait certainement pas tardé à tirer quelques explications pertinentes concernant la capitulation un peu rapide de Max.

— Elles ont vu le jour dans cette ferme, Jude, argua-t-il plutôt en reprenant la remarque indignée de Capucine. Leur famille y vit depuis des générations...

— Essaierais-tu de m'attendrir, Max ? coupa Jude d'une voix teintée d'incrédulité.

Max laissa échapper un rire ironique. Attendrir Jude, quelle blague ! Tous deux se connaissaient depuis l'école primaire ; plus tard, ayant choisi des universités différentes, ils s'étaient perdus de vue pendant quelque temps, jusqu'à ce que Jude, à la tête d'une affaire florissante, reprenne contact avec son vieil ami Max et le persuade de devenir son avocat personnel ainsi que son juriste d'affaires. Max n'avait jamais regretté sa décision. Jusqu'à ce jour, en tout cas...

— Ne sois pas ridicule, Jude. C'est juste que...

— Oui, quel est le problème ? l'interrompit de nouveau son ami.

— Accorde-moi encore quelques jours, d'accord ? lâcha Max d'un ton abrupt en agrippant nerveusement le combiné.

Dire qu'il avait appelé son ami avec l'intention de lui annoncer qu'il abandonnait l'affaire ! Que lui arrivait-il, à la fin ?

— Alors, où en es-tu avec l'exquise Rose ? reprit-il en s'efforçant de se détendre.

— On change de sujet, Max ?

Ce dernier étouffa un soupir. C'était le problème, avec Jude. Doté d'un flair et d'une perspicacité extraordinaires, rien ne lui échappait. Et Max n'avait aucune envie de lui confier le tumulte d'émotions qui l'agitait depuis sa rencontre avec la ravissante Iris.

D'un côté, il aurait tout donné pour transmettre le dossier Mayflower à un de ses collègues, juste pour échapper à l'emprise qu'Iris exerçait sur lui. De l'autre, par loyauté envers Jude et la Marshall Corporation qui l'employaient depuis quinze ans, il aurait volontiers déployé des trésors d'ingéniosité afin de convaincre les trois sœurs du bien-fondé de leur proposition. Jamais encore il n'avait baissé les bras devant un dossier difficile… et Dieu sait qu'il en avait traité, des affaires délicates !

— Si tu le prends comme ça, répondit-il d'un ton faussement désinvolte. Je voulais juste savoir si tu avais eu plus de chance que moi avec Rose.

— Eh bien, non, figure-toi, concéda Jude avec bonhomie. Elle continue à me traiter comme si j'étais un petit frère espiègle.

— C'est une grande première pour toi, railla Max en imaginant la mine déconfite de son ami Jude, play-boy chevronné, adulé par une cour d'admiratrices zélées.

Ce dernier émit un petit rire.

— Si tu veux la vérité, je m'amuse comme un fou. C'est une femme fascinante, tu sais.

Certainement moins qu'Iris, songea Max, néanmoins soulagé d'avoir pu changer de sujet. Hélas, sa maigre consolation fut de courte durée.

— Pour en revenir à la ferme Mayflower, reprit Jude, implacable, il faudrait boucler le dossier dans les semaines à venir pour pouvoir enchaîner au plus vite sur les plans. N'hésite pas à augmenter la somme proposée, si rien d'autre ne marche.

Obstiné. Persévérant. Telles étaient les deux qualités que Max avait toujours admirées chez son ami. Mais pour la première fois, ces deux traits de caractère lui apparurent profondément irritants.

— Je suis tout à fait conscient du délai qui nous est imparti, Jude, admit-il d'un ton sec. En l'occurrence, hélas, je ne crois pas qu'il s'agisse d'une question d'argent.

Max en était même persuadé. L'offre qu'ils avaient faite aux trois sœurs dépassait déjà considérablement le cours de l'immobilier dans la région et malgré cela, aucune d'elles n'avait été tentée d'accepter leur proposition. A l'évidence, l'argent n'entrait pas en ligne de compte.

— Je ne tiens vraiment pas à faire le déplacement, tu comprends, insista Jude.

C'était bien la dernière chose que Max souhaitait, lui aussi ! D'une part, l'idée de s'avouer vaincu lui répugnait ; d'autre part, il n'avait aucune envie que Jude fasse la connaissance des sœurs Mayflower. Il lui suffirait d'une simple entrevue pour comprendre que le véritable problème de Max s'appelait Iris !

Conclusion : il n'avait pas d'autre choix que de prolonger son séjour pour tenter de mener à bien la mission dont l'avait investi Jude.

— Je te demande juste de m'accorder quelques jours de plus, rappela-t-il à son ami d'un ton brusque.

— C'est d'accord pour quelques jours, pas plus, déclara Jude avant de mettre un terme à leur conversation.

Max reposa le combiné puis se tourna vers la fenêtre de sa chambre d'hôtel, en proie à une immense frustration. Il s'était remis à neiger, ce qui n'arrangea pas son humeur sombre. Dans quel guêpier s'était-il encore fourré ?

Jude n'avait pas l'intention de renoncer à son projet, c'était on ne peut plus évident. Par la force des choses, Max était donc obligé de le suivre.

Oui mais : par quel moyen réussirait-il à faire changer d'avis les trois sœurs Mayflower ? C'était un problème épineux, voire insoluble.

Moins délicat, toutefois, que ses déboires avec Iris.

Dire qu'il s'était imaginé pouvoir couler entre ses bras de délicieux moments, en dehors de ses heures de travail. Son séjour lui avait alors paru extrêmement prometteur ! Hélas, le sort en avait décidé autrement. A présent qu'il la connaissait mieux et qu'il avait rencontré ses sœurs, il savait avec certitude qu'Iris n'était pas le genre de femme à goûter aux aventures sans lendemain. Avec aucun homme... et encore moins avec lui.

Pourtant, il continuait à la désirer avec une force qui lui coupait le souffle. Tout en elle le fascinait : sa façon de bouger, de parler, de relever son petit menton quand elle était en colère... tout, absolument tout le séduisait !

5.

— Puis-je savoir à quel jeu vous jouez, au juste ? demanda Iris sans préambule à la seconde où Max ouvrait la porte de sa suite, intrigué par les coups insistants.

Un instant désarçonné, il se ressaisit vite et la détailla des pieds à la tête d'un air moqueur.

— Vous avez changé d'avis pour le dîner de ce soir ?

Les yeux d'Iris étincelèrent dangereusement.

— Je n'ai pas changé d'avis en ce qui vous concerne, monsieur Golding. Et ça ne risque pas d'arriver ! martela-t-elle en avançant à grandes enjambées vers le centre du salon.

Max referma doucement la porte avant de la rejoindre.

— Vous semblez quelque peu... agitée, je me trompe ?

Agitée ? Elle était furieuse, oui ! La colère rosissait ses pommettes et la doudoune, les gants et l'écharpe qu'elle avait mis en partant accentuaient la chaleur qui l'habitait.

— Etiez-vous obligé de préciser à mes sœurs que nous avions déjà fait connaissance, tous les deux ? lança-t-elle d'un ton accusateur. Oui, évidemment ! Ça fait partie de votre plan ignoble, n'est-ce pas ? ajouta-t-elle avec une moue dédaigneuse. Vous n'êtes qu'un odieux manipu...

— Taisez-vous, Iris, coupa Max d'une voix glaciale qui la fit tressaillir. Vous êtes en colère et j'en suis désolé. En même temps, je crains que vous ne deveniez légèrement paranoïaque...

— Paranoïaque ? répéta Iris, incrédule. Alors que mes sœurs m'accusent à demi-mot de ne pas les avoir averties que je connaissais déjà l'avocat Max Golding ? Et que je m'apprêtais, pour couronner le tout, à dîner avec cet homme ce soir même !

Elle évita délibérément de mentionner le baiser passionné qu'ils avaient échangé tous les deux sur le parking de l'hôtel, la veille... Quant aux sentiments qui grandissaient en elle, envers et contre tout, elle les passa évidemment sous silence !

En regagnant la ferme un peu plus tôt — sans la voiture, trop profondément coincée dans le fossé pour qu'elle puisse la dégager seule —, Iris s'était heurtée au mécontentement de ses deux sœurs à qui Max avait confié, au détour de la conversation, qu'ils avaient déjà fait connaissance à l'hôtel.

Dieu merci, leur colère s'était apaisée après qu'Iris leur eut clairement expliqué ce qui s'était réellement passé — elle ignorait tout de la véritable identité de Max quelques heures plus tôt ! Lila et Capucine nourrissaient désormais les mêmes soupçons à l'égard de Max Golding : pour les trois sœurs, il était clair qu'il avait tenté de la séduire pour mieux parvenir à ses fins.

En face d'elle, Max secoua la tête d'un air las.

— Iris, la journée a été suffisamment pénible pour moi aussi. Ne pourrions-nous pas nous asseoir et parler de tout ça à tête reposée, comme deux adultes responsables que nous sommes ?

— Désolée, je ne vois qu'un « adulte responsable » dans cette pièce ! rétorqua Iris, sarcastique.

Elle n'était pas près d'oublier les expressions mi-incrédules, mi-soupçonneuses de ses sœurs avant qu'elle leur fournisse sa propre version des faits. Et dès que la situation avait été éclaircie, elle était vite montée se changer, fermement décidée à aller dire ses quatre vérités à Max Golding.

Ce dernier haussa les épaules avec une désinvolture irritante.

— Il est vrai qu'un adulte responsable n'aurait pas pris le volant au beau milieu de ce qui semble être une nouvelle tempête de neige, susurra-t-il d'un ton mielleux.

Sur le point de répliquer vertement, Iris se ravisa. Un coup d'œil en direction de la fenêtre confirma les paroles de Max. De gros flocons tombaient du ciel avec une régularité inquiétante.

En vérité, elle n'avait même pas remarqué qu'il s'était remis à neiger en prenant la voiture. Elle était tellement contrariée, tellement concentrée sur ce qu'elle allait dire à Max, qu'elle avait conduit comme un automate branché sur pilote automatique, totalement indifférente aux conditions climatiques.

— Iris, voulez-vous vous calmer un instant afin que nous puissions discuter de tout ça tranquillement ? proposa Max, radouci. Je vais commander un peu de café ; vous vous réchaufferez pendant que nous parlerons, qu'en dites-vous ?

Elle aurait aimé refuser tout net, sèchement, d'un ton catégorique mais à présent que le feu de la colère l'avait désertée, elle sentait le froid envahir son corps.

Peut-être, mais était-ce une raison suffisante pour accepter de boire un café avec l'ennemi ? railla une petite voix intérieure.

Non, certes. La vérité était beaucoup plus dérangeante. La vérité résidait dans l'incroyable attirance que Max exerçait sur elle, malgré les derniers rebondissements de leur rencontre, malgré la rancœur qui la tenaillait encore.

« Tu n'es qu'une idiote, se tança-t-elle avec sévérité. Une imbécile finie ! »

— Alors, Iris ?

Arrachée à ses réflexions par la voix rauque de Max, elle soupira.

— Vous n'avez qu'à commander du café, si cela vous tente, Max. Mais rien de ce que vous direz ne modifiera l'opinion que j'ai de vous, ni ce que je pense de la Marshall Corporation, *a fortiori*.

Sur un bref hochement de tête, Max se dirigea vers le téléphone et appela le service d'étage. Trop heureuse d'échapper à son regard perçant, Iris fit quelques pas puis ôta son écharpe et ses gants. D'un mouvement gracieux, elle secoua la tête pour libérer ses cheveux emprisonnés dans le col de sa doudoune.

Que faisait-elle ici, bon sang ? Pourquoi n'était-elle pas repartie aussitôt après avoir livré à Max le fond de sa pensée ?

Elle se mordit nerveusement la lèvre inférieure. Elle connaissait la réponse à sa question : tout au fond d'elle-même, elle refusait de croire que Max était vraiment coupable de tous les torts dont elle l'accablait.

Bon, évidemment, elle n'avait aucune intention de le lui avouer. C'eût été dévoiler une faiblesse dont il aurait aussitôt profité... Non, en acceptant de prendre un café en sa compagnie, elle espérait simplement découvrir un trait attachant de sa personnalité, quelque chose qui justifierait les sentiments qu'elle éprouvait pour lui...

— Le café sera bientôt là, annonça Max derrière elle.

Juste derrière elle, en fait, découvrit-elle en pivotant sur ses talons. Le cœur battant, elle recula d'un pas tandis qu'il la dévisageait d'un air perplexe.

— Vous étiez dans les nuages.

— J'aurais bien aimé, en effet, répliqua-t-elle d'un ton ironique.

Il esquissa une grimace contrite.

— Bienvenue au club... J'aurais tout donné pour me trouver à mille lieues d'ici, il y a encore peu de temps.

Iris retint son souffle, troublée par son regard pénétrant.

— Et maintenant ?

— Maintenant ? Maintenant, je donnerais tout pour qu'il continue de neiger. Encore et encore. Je donnerais tout, Iris...

Les yeux rivés aux siens, il fit un pas dans sa direction.

— ... pour que le monde extérieur disparaisse et que nous nous retrouvions seuls ici. Coincés dans cette chambre... toute une semaine... voire un mois entier ! conclut-il d'une voix sourde qui la fit tressaillir.

Elle soutint son regard, submergée par un tumulte d'émotions.

— C'est possible de se retrouver bloqué dans une chambre d'hôtel à cause de la neige ? demanda-t-elle dans un murmure à peine audible.

— Je ne pense pas, hélas. En revanche...

Il s'interrompit comme on frappait à la porte.

— C'est sûrement le service d'étage, reprit-il dans un sourire dépité.

— Adieu, rêve de solitude, plaisanta Iris à mi-voix.

Max inclina la tête de côté d'un air espiègle.

— Ce n'était peut-être pas une si bonne idée, après tout, dit-il avant d'aller ouvrir à la femme de chambre qui se tenait sur le seuil, chargée d'un lourd plateau d'argent.

Iris se tourna vers la fenêtre, songeuse. Max paraissait différent, ce soir-là. Mis à part ce bref moment de complicité, il semblait plus distant, plus réservé. Son regard avait perdu de son ardeur pour devenir méfiant, insondable.

Quoi de plus normal, au fond ? Le masque était tombé, il n'avait plus besoin de jouer au séducteur transi avec elle, désormais.

— Désirez-vous du lait et du sucre ?

Elle fit volte-face, brutalement arrachée à ses réflexions. La femme de chambre s'était éclipsée sans bruit. Debout devant la table, Max s'apprêtait à servir le café.

— Non, merci, répondit-elle, en proie à un malaise grandissant.

Que diable faisait-elle ici, seule avec cet homme ? se demanda-t-elle encore une fois. Qu'avait-elle espéré, au juste ?

— Merci, répéta-t-elle en avançant vers lui pour prendre la tasse qu'il lui tendait.

Veillant à ce que leurs mains ne se frôlent pas, elle s'empara de la tasse fumante et se détourna aussitôt, reportant son attention sur la fenêtre. Des larmes embuèrent soudain son regard.

A présent que sa colère était retombée, elle se sentait envahie par une profonde tristesse. Parce que tout était terminé ? Parce que au cours de ces dernières quarante-huit heures, elle avait goûté à des sentiments jusque-là inédits, délicieusement grisants ? Parce qu'elle n'avait plus éprouvé l'immense bonheur d'être entourée et protégée depuis la disparition de son père ? Etait-ce pour cela qu'elle avait envie de pleurer, tout à coup ?

C'était complètement stupide, elle le savait bien. Elle aurait bien dû se douter qu'un homme comme Max ne se serait pas intéressé à elle dans des circonstances ordinaires. Après tout, elle n'était rien d'autre qu'une agricultrice à temps partiel doublée d'une chanteuse de province ! Elle n'avait rien à voir, en tout cas, avec les créatures sophistiquées que Max avait probablement l'habitude de fréquenter. En outre, elle ne savait rien de lui... Et s'il était marié ? Cette simple idée lui fit froid dans le dos.

— Max...

— Iris...

Ils avaient pris la parole en même temps. Iris pivota sur ses talons.

— Je vous écoute, murmura-t-elle avec un sourire gêné.

Le cœur battant, elle contempla le visage fermé de Max, croisa son regard glacial. Avant même qu'il ait ouvert la bouche, elle sut qu'elle n'apprécierait pas ce qu'il s'apprêtait à lui dire.

Quoi qu'il dise à cet instant précis, Max savait qu'Iris réagirait mal.

Comme elle était belle ! Belle à damner un saint…

Peut-être, mais il savait désormais qu'elle n'était pas le genre de femme à s'offrir une aventure sans lendemain. Iris était une femme de principes que seule contenterait une demande en mariage en bonne et due forme. Quel dommage ! Car malgré l'attirance magnétique qu'il éprouvait pour elle, Max se sentait gagné par la panique à la simple idée de se retrouver pieds et poings liés par les sacrements du mariage.

Sa bouche prit un pli dur. Il était grand temps de se ressaisir.

— Je me suis entretenu avec Jude Marshall tout à l'heure. Il est tout disposé à vous proposer une somme plus élevée en échange de votre ferme.

La froide désinvolture avec laquelle il avait prononcé ces mots fit tressaillir la jeune femme, comme s'il l'avait giflée. Au prix d'un effort surhumain, Max se retint de la prendre dans ses bras pour la rassurer. Comme il aurait aimé lui dire que tout se passerait bien, que tant qu'il était là, rien ni personne ne l'obligerait à vendre la ferme familiale…

Il n'était pas dupe, hélas ! Jude était un ami d'enfance, il le connaissait par cœur… Et ce dernier n'était pas du genre à reculer devant les obstacles, au contraire. S'il parvenait généralement à obtenir ce qu'il convoitait par des moyens légaux, il n'hésitait pas à trouver des solutions détournées quand tout lui résistait… Dans le cas présent, il s'était montré on ne peut plus clair : il voulait la ferme Mayflower et il ferait tout pour l'avoir !

Alors les sentiments de Max, autant dire qu'il s'en fichait comme d'une guigne… Ce dernier enfonça les poings dans les poches de son jean.

— Je ne peux que vous conseiller de réfléchir sérieusement à cette nouvelle proposition, reprit-il du même ton glacial.

Iris arqua un sourcil indigné.

— Je ne pense pas avoir sollicité vos conseils éclairés !

Il haussa les épaules avec une nonchalance qu'il était loin d'éprouver. Il se haïssait de lui parler sur ce ton… en même temps, il avait choisi son camp, celui de Jude, à l'instant même où il avait pris conscience des sentiments qu'il commençait à éprouver pour Iris. Tout rentrerait dans l'ordre naturellement si elle finissait par le détester. C'était le prix à payer pour son propre bien-être.

— J'essayais juste de me rendre utile, insista-t-il. Jude ne s'avoue jamais vaincu.

Iris le foudroya du regard.

— Vous devez bien vous entendre, tous les deux ! lança-t-elle d'un ton mordant.

Elle ne croyait pas si bien dire : Max était forcé d'admettre qu'ils partageaient beaucoup de points communs, Jude et lui. Ils menaient de brillantes carrières, étaient encore célibataires à trente-sept ans et bien décidés à le rester.

Leurs motivations, en revanche, divergeaient sensiblement.

Fasciné par la gent féminine, Jude se lassait rapidement de ses conquêtes sans cacher pour autant qu'il épouserait sur-le-champ celle qui saurait retenir son attention plus de quelques semaines. Max, au contraire, n'avait aucune intention de se marier — et surtout pas par amour !

Il avait désiré Iris à l'instant même où il avait posé les yeux sur elle mais il s'agissait d'une attirance purement physique, rien de plus. Et il ferait en sorte que ça le reste.

Les femmes, avait-il appris dès son plus jeune âge, n'étaient que des créatures volages passées maîtres dans l'art de manipuler un homme.

Ses traits se durcirent davantage.

— Les insultes ne serviront à rien, fit-il observer.

— Peut-être, concéda Iris, mais je me sens déjà beaucoup mieux !

— Dans ce cas, n'hésitez pas.

Un silence suivit son sarcasme. Finalement, Iris leva sur lui un regard interrogateur.

— Max, puis-je vous poser une question ?

Il se raidit, sur la défensive.

— Je vous écoute.

— Avez-vous passé une bonne nuit ?

Il réprima un rire sans joie. Il avait à peine fermé l'œil les deux dernières nuits alors qu'en général, il n'avait aucun mal à sombrer dans un profond sommeil. Mais le sens caché de sa question ne lui échappa pas.

— Iris, quoi que vous pensiez de moi, la proposition de Jude est tout à fait honnête et...

— Je me moque de Jude Marshall ! explosa la jeune femme. J'aurais préféré ne jamais entendre parler de lui, croyez-moi ! En revanche, j'aimerais savoir comment vous faites pour tenir ce rôle de... de...

— Attention, Iris, coupa Max d'un ton doucereux. Sous le coup de la colère, je tolère volontiers certaines insultes... et d'autres, non. N'oubliez pas que je suis un homme de loi. Je n'ai jamais rien commis d'illégal de toute ma vie.

— Hélas, la loi et la morale ne se rejoignent pas toujours, répliqua froidement Iris.

— C'est exact, concéda Max. Mais dans le cas présent, excusez-moi, je ne vois pas ce que j'ai fait de mal.

Iris le dévisagea d'un air abasourdi.

— Vous ne *voyez* pas, vraiment ? Décider de séduire l'une d'entre nous pour nous diviser ne vous semble pas immoral, peut-être ?

Les pupilles de Max se rétrécirent dangereusement.

— C'est à vous que vous faites allusion ?

— Evidemment, quelle question ! A moins que...

— Taisez-vous, Iris, cette conversation est parfaitement stupide, coupa-t-il d'un ton impatient. Notre... amitié naissante ne vous donne pas le droit de m'accuser du pire, me semble-t-il...

— Notre amitié ? Notre amitié ! répéta Iris avec une moue dégoûtée. Nous n'avons jamais été amis, Max, vous le savez aussi bien que moi et je vous...

Elle fut réduite au silence par la bouche de Max qui captura la sienne dans un baiser avide et exigeant.

Il n'avait pas pu s'en empêcher, ç'avait été plus fort que lui. Comment aurait-il pu supporter une minute de plus le regard accusateur d'Iris, ses attaques cinglantes, sans céder à l'envie grandissante de la faire taire d'un baiser ?

Certes, son impulsion n'arrangerait pas la situation mais après tout, il n'avait plus grand-chose à perdre... Et en cet instant précis, il goûtait avec délice les lèvres douces et chaudes d'Iris, la texture satinée de sa peau contre la sienne... Qu'y avait-il de plus important, pour l'heure ?

6.

Il fallait absolument qu'elle s'arrache à son baiser. Tout de suite.

Et pourtant, Iris n'y arrivait pas, consciente que cela ne se reproduirait pas, qu'elle ne savourerait jamais plus le goût et la texture des lèvres de Max, la douce caresse de ses mains sur sa peau frissonnante.

Or, c'était tout ce qu'elle désirait.

C'était Max qu'elle désirait, de tout son corps, de toute son âme.

Elle enfouit avec délice ses doigts dans l'épaisseur soyeuse de ses cheveux et s'abandonna à son baiser en fermant les yeux. Leurs langues livrèrent une langoureuse bataille tandis qu'une vague de désir les submergeait tous les deux.

Elle n'opposa aucune résistance lorsque sa veste glissa sur la moquette. L'instant d'après, les mains de Max se frayèrent un chemin sous son gilet et elle frissonna violemment au contact de ses doigts chauds et audacieux.

De nouveau, elle éprouva cette extraordinaire sensation de ne faire qu'un avec Max, comme deux moitiés d'un tout qui se retrouveraient enfin, au terme d'une longue quête.

Elle laissa échapper un gémissement de protestation lorsqu'il abandonna sa bouche mais s'arqua contre lui quand il fit courir ses lèvres sur sa joue puis descendit le long de son cou gracile. Sa langue traça de minuscules cercles là où battait son pouls affolé. Une onde de plaisir se propagea le long de sa nuque puis gagna son ventre et ses jambes tremblantes.

La fermeture Eclair de son gilet glissa lentement et Max inclina la tête vers elle. Bientôt, ses lèvres remplacèrent ses doigts caressants et Iris émit un long soupir en sentant sa bouche aspirer la soie de son soutien-gorge. Elle se cambra de nouveau contre lui lorsque, du bout de la langue, il titilla son téton durci par le désir.

Ses mains encerclaient sa taille et la plaquaient contre ses cuisses musclées comme il rendait un hommage fiévreux aux rondeurs sensuelles de sa poitrine... avant de descendre plus bas.

Grisée par le plaisir, Iris se cambra contre lui, les doigts perdus dans ses cheveux pour le retenir encore et encore. Sans cesser de lui prodiguer d'enivrantes caresses, Max la souleva dans ses bras et l'emmena dans la chambre à coucher où il la déposa délicatement sur le lit avant de s'allonger auprès d'elle. Là, sa bouche captura de nouveau la sienne avec une ardeur redoublée.

Malgré leur différence de taille, leurs deux corps s'épousaient parfaitement, unis par le même désir, intense, incontrôlable. Paupières closes, Iris promena avec bonheur ses mains sur le dos puissamment musclé de son compagnon.

Un petit cri s'échappa de ses lèvres lorsque Max effleura d'une caresse aérienne la soie de sa culotte. C'était une sensation à la fois inédite et tout à fait exquise et elle rejeta la tête en arrière, totalement abandonnée, lorsqu'il découvrit sans peine le cœur brûlant de sa féminité. Son corps ressemblait à présent à un volcan en éruption, brûlant, indomptable.

— Iris, si vous souhaitez que je m'arrête, dites-le-moi tout de suite... avant qu'il ne soit trop tard !

La voix rauque de Max lui fit l'effet d'un seau d'eau glacée, comme si le toit qui les protégeait s'était brusquement écarté sous l'assaut des flocons de neige, l'arrachant sans ménagement à... A quoi, au juste ?

Elle roula sur le lit et dévisagea Max d'un air égaré, le regard encore assombri par le désir.

— Arrêtez de me regarder ainsi ! murmura-t-il finalement d'un ton implorant.

Elle prit une inspiration tremblante puis passa lentement sa langue sur ses lèvres sèches. Si Max n'avait pas parlé, s'il n'avait pas brisé la magie de l'instant avec ces quelques mots prononcés d'une voix suave, ils ne feraient qu'un en cet instant... et cette certitude l'emplit d'un trouble indéfinissable.

Il la contempla encore un moment, sourcils froncés, puis retomba sur l'oreiller et fixa le plafond d'un air absent.

— Vous me regardez comme si j'étais un monstre sur le point de vous dévorer toute crue !

Iris tomba des nues. S'il y avait bien une personne dont elle devait se protéger dans cette pièce, c'était elle, et personne d'autre !

— Max...

Elle s'apprêtait à tendre la main vers lui lorsqu'il se redressa pour s'asseoir au bord du lit.

— Vous feriez mieux de partir, Iris, marmonna-t-il. Avant que l'un de nous deux dise ou fasse quelque chose qu'il regretterait par la suite.

80

N'était-ce pas déjà trop tard ? Pour Iris, la question ne se posait plus. Et un seul regard en direction du visage fermé de Max lui suffit à deviner qu'il n'était guère satisfait de ce qui venait de se passer.

Elle se redressa à son tour, remonta fébrilement la fermeture Eclair de son jean, rassembla les deux pans de son gilet et tenta tant bien que mal de les assembler. Bon sang... elle ne réussirait jamais, ses doigts tremblaient beaucoup trop !

— Attendez, je vais vous aider, proposa Max en tendant les mains vers elle — des mains parfaitement assurées, elles, remarqua Iris avec autodérision.

En un éclair, il referma le gilet. Iris scruta son visage à travers ses cils à demi baissés, cherchant désespérément à retrouver l'homme qui, à peine quelques instants plus tôt, avait vibré avec elle, submergé par le même désir. Mais elle ne vit que Max Golding, les cheveux légèrement ébouriffés, certes... Un nerf tressautait sur son menton volontaire — était-ce la colère ou le désir refoulé ? Mis à part ces menus détails, il semblait avoir recouvré tout son sang-froid.

— Il est un peu tard pour me gratifier de ce regard réprobateur, vous ne croyez pas ? reprit-il d'un ton sarcastique. Outre le fait qu'il ne s'adresse pas à la bonne personne...

Iris tressaillit, profondément blessée par la cruauté de ses propos.

— Je dois partir, murmura-t-elle en se levant sur des jambes mal assurées.

Jamais encore elle ne s'était sentie aussi malheureuse... aussi humiliée !

— Vous préférez prendre la fuite, Iris ?

La main sur la poignée de la porte, elle se retourna, prête à lui assener une réplique acerbe. Mais les mots moururent sur ses lèvres lorsqu'elle aperçut son reflet dans le miroir en pied, de l'autre côté de la pièce.

Ses cheveux flottaient sur ses épaules dans un désordre soyeux, ses yeux avaient la couleur d'un ciel d'orage tandis que sa bouche, rougie par le feu des baisers, contrastait violemment avec la pâleur de son visage. Son apparence trahissait au plus juste l'incroyable moment de volupté qu'elle venait de vivre dans les bras de Max Golding...

Ravalant péniblement sa salive, elle détacha son regard de ce troublant reflet pour décocher à Max une œillade lourde de mépris.

— Je ne fuis pas, Max, je m'en vais tranquillement, la tête haute. C'est ma faute : je n'aurais jamais dû mettre les pieds ici !

— Vous avez raison, vous n'auriez pas dû venir ici, renchérit Max en passant un bras sous sa nuque. Tout à l'heure, vous me demandiez si je dormais bien, la nuit. Eh bien, je peux vous l'avouer désormais : le fait est que je dors très rarement seul, susurra-t-il en l'enveloppant d'un regard moqueur.

Piquée au vif, Iris se raidit.

— Eh bien, il semblerait que vous n'ayez pas eu de chance, ce soir ! lança-t-elle en s'efforçant de maîtriser le tremblement de sa voix.

Max jeta un bref coup d'œil à sa montre.

— La soirée n'est pas terminée, n'est-ce pas ? dit-il en haussant légèrement les épaules.

Le souffle coupé par tant de désinvolture, Iris l'enveloppa d'un regard noir.

— Vous êtes ignoble, lâcha-t-elle d'un ton qui trahissait tout le dédain qu'elle éprouvait pour lui en cet instant précis.

Il haussa de nouveau les épaules. Ses yeux brillaient comme deux saphirs dans son visage impénétrable.

— Rentrez chez vous, Iris. Revenez me voir quand vous aurez grandi un peu.

Réprimant à grand-peine le chapelet d'insultes qui fleurissait dans sa bouche, elle releva fièrement le menton.

— Je m'en vais, c'est en effet ce qu'il me reste de mieux à faire. Et j'espère bien ne jamais vous revoir !

Nonchalamment adossé contre les oreillers qui jonchaient le grand lit froissé, Max esquissa un sourire narquois.

— J'ai bien peur que cela ne soit pas possible, hélas. Vous semblez oublier que je suis toujours chargé de négocier la vente de votre ferme pour le compte de la Marshall Corporation.

— Tant que je serai vivante, vous n'arriverez à rien ! répliqua Iris avec ferveur.

— Alors soyez prudente en prenant la route par ce temps exécrable... on ne sait jamais, railla-t-il en soutenant son regard.

Il fallait qu'elle s'en aille, tout de suite, sans plus tarder. Avant de fondre en larmes...

— Faites attention, Iris, murmura Max, soudain radouci. J'espère que vous passerez une bonne nuit.

Feignant d'ignorer cette dernière pique, elle pivota sur ses talons, ramassa la veste qui lui avait glissé des mains et quitta précipitamment la pièce.

Cet homme était un monstre de goujaterie. Un être sans foi ni loi, parfaitement méprisable !

Comment avait-elle pu se tromper à ce point sur son compte ? Comment avait-elle pu être aussi aveugle ?

— Iris… ?

Absorbée par ses pensées, elle tourna légèrement la tête comme elle traversait le lobby de l'hôtel. Les plis qui barraient son front s'effacèrent dès qu'elle vit John, le barman, qui s'apprêtait à prendre son service.

Ce dernier la dévisagea d'un air inquiet.

— Hé… quelque chose ne va pas ?

Réprimant de justesse un rire nerveux, elle répondit d'un ton laconique :

— Non, non, ça va, merci, John.

— Vous avez l'air toute retournée, insista ce dernier, visiblement peu convaincu par ses propos. Suivez-moi jusqu'au bar, je vous offre un petit cognac ; ça vous requinquera.

Elle émit un petit rire sans joie avant de secouer la tête.

— Non, c'est gentil, John. Un accident suffira pour aujourd'hui. Ma sœur me tuerait si j'abîmais aussi sa voiture !

La surprise se peignit sur le visage du barman.

— Vous avez eu un accident ?

— Oh, rien de bien grave ; je me suis juste retrouvée dans le fossé, expliqua Iris avec une moue penaude. Il vaut mieux que je rentre sans tarder, John, enchaîna-t-elle en gratifiant le barman d'un sourire d'excuse. Est-ce qu'il neige encore ?

Elle avait perdu toute notion du temps et de ce qui se passait dehors, dans la chambre de Max.

— Non, plus depuis une bonne demi-heure. Etes-vous sûre que ça va aller, Iris ? Je peux toujours m'arranger pour me faire remplacer un moment si vous préférez que je vous raccompagne, proposa John, plein de sollicitude.

— C'est très aimable à vous, John, merci, dit la jeune femme en lui tapotant gentiment le bras. Mais ça va aller, je vous assure.

— J'espère que ce n'est pas Meridew qui vous a fait venir jusqu'ici… ?

— Oh non… non, ne vous en faites pas, éluda-t-elle en évitant son regard inquiet. Bon, je file maintenant. Passez une bonne soirée, John ! lança-t-elle en s'éloignant à pas pressés, craignant qu'il ne la retarde davantage.

Elle désirait surtout échapper à ses questions… Blessée dans son amour-propre, elle n'avouerait à personne qu'elle avait été assez sotte pour rendre visite à Max Golding dans sa chambre d'hôtel !

Une chose était sûre : elle ne commettrait pas deux fois la même erreur. Et elle espérait de tout cœur ne plus jamais revoir cet ignoble individu !

« Bravo, Max. Félicitations », songea ce dernier, toujours allongé sur son lit. Il avait tout fait pour s'attirer l'hostilité d'Iris… et son entreprise semblait avoir porté ses fruits !

Le regard chargé de mépris qu'elle lui avait adressé avant de partir valait toutes les récompenses. Elle le haïssait, c'était évident.

C'était bien ce qu'il souhaitait, n'est-ce pas ?

Oui, c'était exactement ça.

Il avait délibérément rompu les liens émotionnels qui commençaient à les attacher, Iris et lui, dans le seul but de simplifier la délicate situation professionnelle dans laquelle il se trouvait. Iris faisait partie de la famille

Mayflower ; Jude ne souhaitait pas renoncer à son projet de rachat de la ferme. Les choses avaient au moins le mérite d'être claires, il n'existait aucune autre option.

Parfait…

Dans ce cas, pourquoi n'éprouvait-il aucune satisfaction mais au contraire une immense tristesse ? Plus grande encore que celle qui l'avait assailli lorsque sa mère les avait abandonnés, son père et lui, alors qu'il n'avait que cinq ans… ?

Il savait que ce douloureux épisode avait conditionné ses rapports avec les femmes — il était à l'origine, par exemple, de sa décision de ne jamais tomber amoureux, de ne jamais faire confiance à une femme pour ne pas se trouver en état de faiblesse et de vulnérabilité.

En toute franchise, il ne se souvenait plus du visage de sa mère ; seul restait gravé en lui le terrible sentiment d'abandon et de solitude dont il avait souffert après son départ.

Au moins ne connaîtrait-il pas cet écueil avec Iris. Elle semblait tout à fait sincère quand elle lui avait jeté à la figure qu'elle souhaitait ne plus jamais le revoir.

Mais alors, d'où venait ce désagréable pincement au cœur ?

Etait-ce parce que ce qu'il ressentait pour Iris, au-delà de cette attirance purement physique qui lui faisait perdre tous ses moyens, s'apparentait à quelque chose de plus profond, comme de…

Max se leva d'un bond. Décidément, la solitude ne lui réussissait guère, surtout en ce moment précis ! Pressé d'échapper aux pensées confondantes qui tourbillonnaient dans son esprit, il décida d'aller prendre un verre au bar. Tout plutôt que se morfondre seul dans une chambre d'hôtel !

Il était presque 21 heures lorsqu'il pénétra dans la grande salle, étrangement déserte. Fidèle au poste, John essuyait des verres derrière le comptoir.

— Un triple whisky, commanda-t-il en s'installant sur un tabouret.

— Quel temps de chien, n'est-ce pas ? dit le barman quelques instants plus tard en lui apportant sa boisson.

Max hocha la tête avant d'avaler une grande gorgée d'alcool.

— Il n'y a pas foule, ce soir, fit-il observer d'un ton absent. Vous travaillez tous les jours ?

— Je suis de repos le lundi et le mardi.

Max esquissa une grimace.

— Pas terrible pour votre vie privée...

— Quelle vie privée ? répliqua John, pince-sans-rire. Mais bon, je ne me plains pas ; après tout, j'ai la chance d'avoir un travail, ce qui n'est pas le cas de tout le monde par les temps qui courent.

Il se tut, haussa les épaules.

— Au fait, vous avez loupé Iris, tout à l'heure, reprit-il d'un ton plus léger en remplissant les coupelles de cacahuètes qui ornaient le comptoir.

Max se raidit. Lui qui croyait se changer les idées en venant au bar !

— Elle avait l'air... toute retournée, ajouta John en fronçant les sourcils.

— Ah bon ? dit Max d'un ton vague, peu désireux de s'étendre sur le sujet.

— Mmm-mmm. Peut-être a-t-elle...

— Monsieur Golding ?

Max se figea. Cette voix, derrière lui, ressemblait étonnamment à celle d'Iris. Toutefois, il sut d'instinct que ce n'était pas elle... pas après ce qui s'était passé entre eux un peu plus tôt.

Pivotant lentement sur son tabouret, il découvrit Lila Mayflower. S'efforçant de rester impassible, il se leva et salua la jeune femme d'un signe de tête courtois.

— Mademoiselle Mayflower.

Deux heures s'étaient écoulées depuis le départ précipité d'Iris. Dans l'absolu, Iris et Lila avaient eu tout le temps de se parler. Mais peut-être n'en avaient-elles rien fait. En attendant de le savoir, Max résolut d'observer la plus grande prudence.

Lila promena un regard vaguement irrité sur la salle.

— Pourrions-nous trouver un endroit plus... tranquille pour parler ? demanda-t-elle à brûle-pourpoint. Surtout, ne m'en tenez pas rigueur, s'empressa-t-elle d'ajouter à l'adresse de John.

Le barman esquissa un sourire amusé.

— Ne vous en faites pas, je comprends. Moi-même, je ne serais certainement pas là en ce moment s'il ne s'agissait pas de mon lieu de travail !

Lila rit de bon cœur avant de reporter sur Max son regard vert, incroyablement perçant.

— Monsieur Golding ?

Max réfléchit rapidement. Iris avait-elle raconté à sa sœur aînée ce qui s'était passé entre eux ? Dans le doute, mieux valait prendre les devants ; si Lila était venue avec l'intention de le gifler, il préférait subir cette humiliation en privé !

— Allons dans ma suite, suggéra-t-il d'un ton bref en signant sa facture.

D'un geste de la main, il invita Lila Mayflower à passer devant lui. Si la ressemblance physique des trois sœurs était frappante, Max avait vite deviné que l'aînée possédait une force de caractère hors du commun ; nul doute qu'elle ne supportait pas les petits malins et autres fanfarons... En outre, il était évident qu'il ne l'intimidait nullement !

— Je crois qu'un salon plus tranquille fera parfaitement l'affaire, déclara-t-elle soudain en s'immobilisant dans le hall d'entrée.

Elle n'avait peut-être pas l'intention de le gifler, après tout...

— Comme vous voudrez, dit-il en opinant du chef. Nous n'avons qu'à nous installer dans une des salles de réunion qui longent ce couloir. Je suis sûr que la direction n'y verra aucun inconvénient.

Presque aussi belle que sa sœur — aux yeux de Max, Iris demeurait incontestablement la femme la plus séduisante qu'il ait jamais vue —, Lila semblait posséder une assurance inébranlable. Le menton fièrement pointé en avant, elle posa sur lui ses yeux vert émeraude qui semblaient lire au plus profond de lui — une sensation qui n'avait rien d'agréable, songea Max en réprimant un frisson.

— Entendu, déclara-t-elle finalement avant de passer devant lui.

C'était la première fois que Max voyait Lila dans une autre tenue que celles qu'elle arborait pour travailler à la ferme et qui se résumaient à de vieux jeans délavés et de gros pulls en laine. Ce soir-là, elle portait une veste noire que rehaussait un petit pull moulant de la même couleur que ses yeux et une jupe droite qui dévoilait des jambes aussi longues et fuselées que celles de sa plus jeune sœur.

Pourquoi étaient-elles encore toutes célibataires ? se demanda-t-il, sincèrement intrigué. La situation aurait été tellement plus simple si elles avaient été mariées ! Les jeunes gens de la région souffraient-ils tous de cécité ? Ou bien étaient-ce les sœurs Mayflower qui ne leur manifestaient aucun intérêt ?

Lila pénétra dans la première salle de réunion et se tourna brusquement vers lui. Un sourire ironique joua sur ses lèvres lorsqu'elle surprit son regard — comme si elle avait deviné ses pensées et qu'elle les trouvait plutôt amusantes.

— Beaucoup ont tenté leur chance, autant ont échoué, déclara-t-elle d'un ton moqueur tandis qu'une étincelle de malice traversait son regard vert.

— Pourquoi ont-ils tous échoué ? demanda-t-il sans chercher à feindre l'incompréhension.

Elle haussa gracieusement les épaules.

— Peut-être n'y ont-ils pas mis assez de cœur.

Refroidi par sa réponse — après les paroles dures qu'il avait eues à l'encontre d'Iris, il n'était guère en position de force pour argumenter à ce propos —, Max décida d'entrer dans le vif du sujet.

— Que puis-je faire pour vous, mademoiselle Mayflower ?

L'espièglerie déserta aussitôt le regard émeraude de son interlocutrice.

— J'aimerais que vous laissiez ma sœur tranquille, répondit-elle tout de go. Et je vous en prie, ne faites pas semblant d'ignorer de quelle sœur je veux parler, s'empressa-t-elle d'ajouter comme il faisait mine d'ouvrir la bouche.

— Ce n'était pas dans mes intentions, assura Max d'un ton coupant. Si cela peut vous rassurer, à compter de ce soir, Iris fera tout son possible pour m'éviter, vous verrez. Elle ne vous a donc rien dit ?

Lila le dévisagea avec attention pendant ce qui parut durer une éternité.

— Qu'est-ce qui vous fait croire ça ? demanda-t-elle enfin à mi-voix.

— Ce n'est pas à moi de vous expliquer, répondit Max, assailli par le doute.

Et si Iris n'avait rien dit à sa sœur ? Après tout, il était possible que cette dernière soit venue le trouver dans le seul but de protéger sa cadette, sans même savoir ce qui s'était passé entre eux.

Un sourire désabusé étira les lèvres de Lila.

— N'est-ce pas un peu tard pour jouer au gentleman ?

Le visage de Max s'assombrit.

— Mademoiselle Mayflower, ma patience a des limites, vous savez ; votre famille m'a suffisamment insulté pour aujourd'hui.

Les beaux yeux verts de la jeune femme pétillèrent de nouveau.

— Voilà une bonne nouvelle. A ma connaissance cependant, Capucine n'a pas encore ouvert les hostilités, elle !

Max exhala un soupir.

— Qu'elle s'épargne cette peine, dites-le-lui de ma part. Vous savez, continua-t-il en s'asseyant à la longue table de conférence, je suis venu ici en pensant qu'il s'agirait d'un simple dossier de routine... une vente ordinaire, quelques contrats à établir, rien de bien compliqué... Personne ne m'avait prévenu que j'aurais affaire à la mafia Mayflower ! conclut-il, mi-figue, mi-raisin.

Lila émit un rire de gorge.

— C'est que nous opérons dans la plus grande discrétion...

— Eh bien, votre petit secret est éventé. Pour une raison que j'ignore, mon employeur, Jude Marshall, vous imagine sous les traits de trois vieilles filles qui passent leurs longues soirées d'hiver au coin du feu, à tricoter des chaussettes, conclut-il en secouant la tête d'un air affligé.

— C'est vrai ? dit Lila, piquée dans sa curiosité. M. Marshall devrait peut-être se résoudre à accomplir lui-même sa sale besogne, qu'en dites-vous ?

— Peut-être, en effet, concéda Max que l'idée avait effleuré à plusieurs reprises au cours de ces dernières heures.

— En attendant, reprit Lila en fixant sur lui son regard pénétrant, presque intimidant, je vous conseille de ne pas blesser ma sœur, monsieur Golding. Iris a suffisamment souffert comme ça, ces derniers temps.

Max la considéra avec attention.

— Que voulez-vous dire par là ?

— Ce n'est pas important, éluda Lila en secouant légèrement la tête. Bien entendu, mes mises en garde n'ont aucune raison d'être si vos intentions à l'égard d'Iris sont sérieuses... Le sont-elles, monsieur Golding ?

Elle le considéra fixement. La bouche de Max prit un pli dur.

— Non, répondit-il d'un ton sec.

— C'est bien ce que je pensais.

Sur un léger hochement de tête, elle ramassa son sac à main et se leva.

— Je réitère donc mon conseil et vous demande de laisser Iris tranquille.

— Et si je ne le suis pas ?

92

Lila haussa les épaules.

— Alors attendez-vous à une autre visite en règle de la mafia Mayflower !

Max ne put s'empêcher de sourire.

— Si seulement j'avais eu une sœur comme vous pour me protéger quand j'étais petit !

Au lieu de quoi, il était resté fils unique, élevé par son père, un homme au cœur meurtri qui n'avait jamais eu le courage de retomber amoureux. Et qui, du même coup, s'était éteint dans une grande solitude...

Lila esquissa un sourire narquois.

— Bizarrement, Max, j'ai le sentiment que vous n'auriez jamais confié ce soin à quelqu'un, murmura-t-elle. A présent, si vous voulez bien m'excuser, je n'ai rien d'autre à vous dire.

Elle se dirigea vers la porte, la tête haute, et disparut, laissant derrière elle un Max en pleine confusion. Qu'avait-elle voulu lui signifier par cette dernière remarque ? Avait-elle deviné qu'il avait érigé une épaisse muraille tout autour de son cœur ? Le cas échéant, comment s'était-elle débrouillée pour le percer à jour ?

Au fond, cela n'avait guère d'importance ; ce qui comptait, c'était le message qu'elle était venue lui transmettre concernant Iris.

Lila Mayflower n'avait aucun souci à se faire pour sa jeune sœur : il était bien décidé à garder ses distances avec Iris. En ce qui le concernait, c'était une affaire classée. Il n'approcherait plus d'elle.

Une question pourtant continuait à le tourmenter, aussi insidieuse que persistante : à qui Lila faisait-elle allusion quand elle avait insinué qu'un homme avait récemment brisé le cœur d'Iris... ?

7.

— Que faites-vous ici ? balbutia Iris, stupéfaite de trouver Max sur le seuil de la porte d'entrée qu'elle venait d'ouvrir.

Trente-six heures à peine s'étaient écoulées depuis leur dernière entrevue et le souvenir de cette soirée demeurait encore vif et cuisant dans son esprit, malgré ses efforts pour l'effacer définitivement.

Pour couronner le tout, Max faisait son apparition alors qu'elle était seule à la ferme, Capucine étant partie travailler et Lila s'étant rendue en ville.

— Je vous ai demandé ce que vous étiez venu faire ici, répéta-t-elle d'un ton plus ferme comme Max, immobile devant elle, le visage sombre, son beau regard bleu empreint de gravité, ne semblait guère pressé de répondre.

— Comment allez-vous ? demanda-t-il finalement d'une voix rauque.

Iris lui décocha une œillade ironique.

— Très bien, pourquoi ?

S'attendait-il à la trouver effondrée, terrassée par l'humiliation qu'il lui avait fait subir l'avant-veille ? Si tel était le cas, il risquait d'être déçu. Certes, elle avait commis une erreur magistrale en allant le trouver dans sa chambre d'hôtel... certes, elle était rentrée chez elle mortifiée, pétrie de honte et de tristesse, mais elle avait trop d'amour-propre pour le laisser voir à quiconque... et surtout à Max !

Ce dernier enfonça les mains dans les poches de son jean.

— J'ai appris qu'il y avait eu une autre agression hier soir, déclara-t-il d'un ton bourru. Ils en ont parlé à la télévision, tout à l'heure.

Iris haussa les sourcils. Elle n'avait pas entendu la nouvelle. De toute façon, elle n'avait pas le temps de regarder la télévision dans la journée et Capucine n'était pas encore rentrée du travail ; c'était elle qui, en général, rapportait à ses sœurs les derniers potins de la région.

— Et alors ? demanda-t-elle, glaciale.

Max avala sa salive avant d'esquisser une grimace contrite.

— Les journalistes n'ont pas donné beaucoup de détails sur l'agression ; ils ont juste expliqué que la victime avait été hospitalisée d'urgence après avoir été rouée de coups. On ignore son identité.

Iris le toisa d'un air impatient.

— Je suis vraiment désolée pour cette pauvre femme, commença-t-elle, gagnée par une bouffée d'exaspération, j'espère qu'elle se remettra vite de ses émotions, mais si vous êtes venu ici pour réitérer votre offre d'achat, vous...

— Je ne suis pas venu pour ça ! coupa-t-il durement tandis qu'un muscle tressautait sur sa mâchoire.

Iris secoua la tête, décontenancée.

— Alors pourquoi êtes-vous là, au juste ?

— N'est-ce pas évident ?

— Je crains que non, désolée.

Max exhala un soupir las.

— N'avez-vous donc rien écouté de ce que je viens de dire ?

Un sourire sans joie joua sur les lèvres de la jeune femme.

— Ça vous étonne, n'est-ce pas ? Les gens boivent littéralement vos paroles, en temps normal !

Le visage de Max se rembrunit.

— Iris, je suis tout à fait conscient de la piètre opinion que vous avez de moi mais...

— Permettez-moi d'en douter ! coupa-t-elle dans un élan de colère.

Elle était furieuse contre lui, mais encore plus contre elle-même. Après l'erreur qu'elle avait commise l'année passée, elle avait pris soin de traiter avec une réserve courtoise tous les hommes qui avaient fait mine de s'intéresser à elle et n'avait accepté aucun rendez-vous galant depuis que Ben l'avait repoussée sans autre forme de procès. Et voilà qu'elle tombait dans le piège tendu par un homme dix fois plus dangereux que Ben... d'un point de vue strictement émotionnel, naturellement !

L'ombre d'un sourire éclaira le visage de Max.

— Je ne me fais pas d'illusion, croyez-moi. Mais lorsque j'ai entendu l'information à la télé, j'ai tout de suite... à propos, où sont vos sœurs ?

— Capucine est partie travailler et Lila avait rendez-vous chez le dentiste, répondit Iris de mauvaise grâce.

Max hocha gravement la tête.

— Dans ce cas, excusez-moi. Je me suis un peu précipité, déclara-t-il avant de tourner les talons.

Sourcils froncés, Iris le suivit des yeux comme il s'éloignait en direction de sa voiture. Quel être arrogant ! Absolument détestable. Il l'avait profondément blessée dimanche soir. Pourtant, il s'était donné la peine de venir jusqu'ici aujourd'hui, visiblement inquiet… Se pourrait-il que… ?

— Puis-je vous offrir une tasse de thé ? s'entendit-elle demander d'un ton bref.

Max se tourna vers elle, sur ses gardes.

— Vu les circonstances, c'est très aimable de votre part, murmura-t-il après quelques instants d'hésitation.

Iris haussa les épaules d'un air faussement désinvolte.

— Ne saviez-vous donc pas que j'étais une personne aimable ?

Pourquoi diable avait-elle lancé une telle invitation ? se demanda-t-elle *in petto*. Etait-ce parce qu'elle s'était laissé attendrir par l'inquiétude sincère qu'il avait manifestée à son égard ainsi que pour ses sœurs ? Oui, c'était probablement ça.

— Je vous préviens, l'invitation ne tient que dix secondes, reprit-elle d'un ton ironique. Mes orteils ne vont pas tarder à se transformer en glaçons sinon !

Max baissa les yeux en revenant sur ses pas.

— Vous ne plaisantiez donc pas quand vous parliez de flâner pieds nus à la maison ! dit-il, incrédule.

Il la suivit dans la cuisine et referma la porte derrière eux. Occupée à remplir la bouilloire, Iris lui lança un regard entendu.

— Je ne mens jamais, Max, sachez-le. Pour votre information, je suis pieds nus parce que je m'apprêtais à aller chercher une paire de chaussettes sèches quand vous avez frappé à la porte. J'ai glissé sur une plaque de verglas en rentrant de la grange et je me suis affalée de tout mon long dans la neige qui en a profité pour s'infiltrer dans mes bottes, expliqua-t-elle d'une traite.

Max arqua un sourcil moqueur.

— Décidément, vos journées ne sont pas de tout repos, on dirait. Il y a eu un fossé, puis une plaque de verglas...

— Sans parler d'une certaine rencontre..., intervint Iris, sarcastique.

Max se rembrunit instantanément.

— Iris...

— Asseyez-vous, Max, je vous en prie, coupa la jeune femme en indiquant d'un geste ample les chaises qui flanquaient la grande table de ferme. Le thé est presque prêt.

Heureuse de la diversion, elle s'affaira pendant plusieurs minutes, néanmoins consciente du regard de Max rivé sur elle.

Pourquoi était-il venu aujourd'hui ? Était-ce réellement parce qu'il s'était inquiété pour elles en apprenant qu'une nouvelle agression avait eu lieu dans les environs ? Si c'était la vraie raison de sa visite, cela signifierait donc que leur sort ne lui était pas complètement indifférent... non ?

— Est-ce que Lila vous a dit qu'elle était venue me voir à l'hôtel dimanche soir ?

— Oui, elle m'en a parlé, répondit Iris en posant deux grandes tasses de thé sur la table.

Elle prit place en face de Max et indiqua la coupelle qui trônait au milieu de la table.

— Servez-vous en sucre. Depuis que notre mère est morte, Lila s'est mis dans la tête que c'était à elle de prendre la relève, expliqua-t-elle d'un ton résigné.

Max n'avait pas besoin de savoir qu'elle était entrée dans une colère noire en apprenant l'initiative de sa sœur aînée. En face d'elle, ce dernier esquissa un pâle sourire.

— Il semblerait qu'elle prenne son rôle à cœur : croyez-moi, je n'avais guère envie de rire lorsqu'elle m'a intimé de vous laisser tranquille !

— C'était un peu tard, on dirait, murmura Iris en baissant les yeux sur sa tasse fumante.

Un silence pesant s'installa entre eux.

— Quand votre mère est-elle morte ? demanda soudain Max.

Iris se força à rencontrer son regard, en proie à une vague de mélancolie.

— J'avais trois ans. Il y a donc... vingt-deux ans.

Max fronça les sourcils.

— Ça a dû être terrible... j'avais cinq ans quand ma mère est partie, confessa-t-il à mi-voix.

Il parut surpris de s'être livré ainsi et son visage se ferma de nouveau, au point qu'Iris se demanda s'il avait jamais parlé à quiconque de ce triste épisode. Max ne semblait pas du genre à évoquer aisément sa vie privée.

— Ne devriez-vous pas aller couvrir vos pieds ? reprit-il finalement d'un ton bourru.

— Si, vous avez raison, dit Iris en se levant. J'en ai pour une minute.

Ce qui laisserait à Max le temps de se ressaisir... Car elle n'avait aucune envie d'éprouver de la compassion pour lui ! De toute façon, cet homme ne voudrait certainement pas de sa commisération... Quant à son amour, il le jetterait aux orties sans plus de cérémonie, à n'en pas douter !

Car malgré les horreurs qu'il lui avait dites dimanche passé, Iris ne pouvait ignorer les sentiments qui fleurissaient dans son cœur. Elle était tombée amoureuse de Max Golding, presque à son insu !

Que diable fichait-il ici ? se demanda Max lorsque Iris eut quitté la pièce. En ouvrant la porte un moment plus tôt, la jeune femme lui avait livré la preuve vivante qu'elle n'était pas la dernière victime en date de l'agresseur ; alors pourquoi ne s'était-il pas contenté de lui présenter ses excuses avant de retourner à l'hôtel ?

Parce que c'était au-dessus de ses forces, tout simplement ! En apprenant la nouvelle à la télé dans la matinée, la panique s'était emparée de lui ; il avait pris sa voiture et foncé directement à la ferme, la peur au ventre... et quand Iris était apparue dans l'embrasure de la porte, pétillante et pleine de vie, un poids énorme avait disparu de ses épaules et il avait eu toutes les peines du monde à ne pas la prendre dans ses bras pour la faire virevolter autour de lui.

En revanche, il ne comprenait toujours pas pourquoi il s'était laissé aller à lui parler de sa mère... C'était la première fois qu'il confiait à quelqu'un ce douloureux épisode. Jamais encore il n'avait raconté à quiconque que sa mère les avait lâchement abandonnés, son père et lui. En évoquant la disparition de sa propre mère, Iris l'avait peut-être poussé à la confidence, inconsciemment. Non, il n'avait aucune excuse, leurs parcours étaient trop dissemblables ! La mère d'Iris était morte, bon sang, elle n'avait pas abandonné ses enfants !

Bon sang, il devait absolument partir d'ici. Sans plus tarder !

Au moment où il s'apprêtait à se lever, la porte de la cuisine s'ouvrit et Lila fit son apparition. La stupeur se peignit sur son visage lorsqu'elle l'aperçut, confortablement assis devant une tasse de thé. Le premier moment de surprise passé, elle afficha un sourire mi-poli, mi-interrogateur.

— Iris est allée mettre une paire de chaussettes propres, l'informa Max.

Une lueur espiègle traversa le regard vert de la jeune femme.

— Qu'est-il arrivé à l'autre paire ? demanda-t-elle en suspendant sa veste à la patère fixée à la porte.

— Votre petite sœur est tombée dans la neige.

— Je vois, dit Lila sans s'émouvoir. Désirez-vous une autre tasse de thé ?

Elle remplit la bouilloire et se dirigea vers la cuisinière.

— Non, je vous remercie. Votre rendez-vous s'est bien passé ?

Lila lui jeta un regard perplexe.

— Pardon ?

— Iris m'a dit que vous étiez chez le dentiste.

— Oh… oui, bien sûr. Ç'a été, merci, ajouta-t-elle d'un ton laconique en préparant le thé.

Les pupilles de Max se rétrécirent comme il continuait à l'observer. Sa question l'avait désarçonnée, cela ne faisait aucun doute, et elle avait soigneusement évité de croiser son regard en répondant. Qu'il soit damné sur-le-champ si Lila Mayflower s'était vraiment rendue chez le dentiste…

Dans ce cas, où était-elle et pourquoi avait-elle menti à sa sœur ? Il se mêlait peut-être de ce qui ne le regardait pas, mais…

— Lila ! s'écria Iris avec un entrain exagéré en pénétrant dans la cuisine. Comment s'est...

— J'ai déjà posé la question, railla Max. Les dents de votre sœur sont aussi saines et acérées que les vôtres, ajouta-t-il en la gratifiant d'un regard lourd de sous-entendus.

Iris s'empourpra violemment. Comment aurait-elle pu oublier la légère morsure qu'elle lui avait faite à l'épaule dimanche, alors qu'il infligeait à ses seins gonflés de désir une torture délicieusement érotique ?

Les joues en feu, elle le mit en garde d'un léger froncement de sourcils. Ainsi, Lila la grande sœur protectrice ignorait tout de ce qui s'était passé entre eux ce soir-là... Tant mieux, songea Max. Il ne tirait aucune gloriole de ce moment d'égarement et regrettait par-dessus tout les sottises qu'il avait dites à Iris une fois la passion retombée.

Malgré ses fanfaronnades, il n'avait pas fermé l'œil de la nuit et la nuit passée n'avait guère été plus reposante. Tiraillé entre des émotions contradictoires, il avait mille fois envisagé d'avouer à Iris qu'il ne pensait pas un mot des choses affreuses qu'il avait dites après leur étreinte fougueuse ; que ç'avait seulement été un moyen de se protéger, rien de plus. En même temps, en se confiant de la sorte, ne risquait-il pas de s'exposer dangereusement ? Si, bien sûr, et cette simple perspective l'emplissait d'effroi.

Dans l'immédiat en tout cas, il ne lui restait plus qu'une chose à faire : quitter les lieux, la tête haute.

— Bien, je crois que je ferais mieux de vous laisser...

— J'espère que ce n'est pas moi qui vous fais fuir, déclara Lila d'un ton narquois en prenant appui contre la cuisinière, une tasse de thé à la main.

Max soutint son regard moqueur.

— Je ne voudrais pas vous empêcher de vaquer à vos occupations.

Lila haussa les épaules.

— Ne vous inquiétez pas, il n'y a pas d'urgence. Nous avons beau travailler d'arrache-pied toute la journée, il y aura toujours quelque chose à faire ici... heureusement, nous sommes sur place, conclut-elle avec philosophie.

Max fronça les sourcils.

— Dans ce cas...

— Ça ne veut pas dire que nous désirons vendre, coupa Iris d'un ton abrupt.

Max se tourna vers elle.

— Je m'apprêtais seulement à vous demander pourquoi vous n'embauchiez pas un ouvrier agricole pour vous soulager un peu.

— Excellente question, commenta Lila.

— Le seul problème, renchérit Iris, c'est que nous n'avons pas les moyens de payer un employé... vous ne l'ignorez sans doute pas, acheva-t-elle, sarcastique.

— Voyons, Iris, Max posait juste une question, remarqua Lila avant de gratifier leur visiteur d'un sourire contrit. Nous avions embauché quelqu'un l'an dernier après... après le décès de notre père, expliqua-t-elle d'une voix légèrement enrouée. Mais ça n'a pas marché.

Un silence chargé d'électricité retomba dans la pièce. Perplexe, Max jeta un coup d'œil en direction d'Iris qui lui sembla soudain très pâle. Il haussa les épaules.

— C'était juste une idée.

— Une idée totalement irréalisable, riposta Iris. Ce qui doit bien vous arranger, d'ailleurs. Ça résoudrait tous vos problèmes, n'est-ce pas, si nous étions obligées de vendre la ferme faute de pouvoir l'entretenir ?

— Iris, enfin...

— Je t'en prie, Lila, ne te laisse pas embobiner ! Max et la Marshall Corporation n'attendent que ça : que nous nous enlisions jusqu'au cou ! Eh bien, vous pouvez toujours rêver, Max ; notre ferme ne tombera jamais entre vos mains de rapaces ! s'écria-t-elle avec véhémence. Maintenant, si vous voulez bien m'excuser, ajouta-t-elle en attrapant sa veste. Tu peux continuer à faire la causette, Lila, mais moi, j'ai du pain sur la planche !

La porte claqua violemment derrière elle, arrachant une grimace confuse à l'aînée des sœurs Mayflower.

— Qu'avez-vous dit ou fait pour la vexer, cette fois ? demanda-t-elle d'un ton où perçait l'amusement.

— Ai-je vraiment besoin de faire quelque chose pour la vexer ? répliqua Max, pince-sans-rire.

— Probablement pas, vous avez raison.

— C'est bien ce que je pensais.

Il hocha la tête d'un air songeur avant de demander :

— Comment s'appelait-il ?

Lila le considéra longuement avant de répondre d'un ton bref :

— Ben.

— Merci, marmonna Max, reconnaissant.

Lila fronça les sourcils.

— De quoi ?

— Merci de m'avoir répondu sans feindre de ne pas comprendre ma question. J'imagine que ce Ben fut l'employé que vous avez engagé l'an dernier... que c'est lui qui a fait souffrir Iris et que c'est encore lui qui vous a poussée à venir me voir dimanche soir.

— Quel intérêt aurais-je à le nier ? dit Lila. Je vous en ai sans doute trop dit, ce soir-là. Et puis, vous êtes quelqu'un d'intelligent, conclut-elle dans un soupir.

— Merci encore, railla Max.

— Ce qui ne veut pas dire que je vous apprécie ! précisa-t-elle tandis qu'un éclair traversait ses yeux vert émeraude.

Un sourire joua sur les lèvres de Max.

— Quel dommage... personnellement, je vous apprécie beaucoup, expliqua-t-il en croisant son regard interrogateur. Oh, en tout bien tout honneur, rassurez-vous ! Une sœur Mayflower me suffit amplement, je l'ai appris à mes dépens !

Lila le dévisagea avec attention avant de demander d'un ton empreint de gravité :

— Max, quelles sont vos intentions vis-à-vis de ma petite sœur ?

Max exhala un long soupir.

— Comment le saurais-je ? dit-il d'un ton mal assuré.

Un rire incrédule s'échappa des lèvres de Lila.

— Qui d'autre que vous pourrait le savoir ?

Un silence suivit ses paroles.

— Y avez-vous réfléchi, Max ? reprit-elle finalement avec douceur.

Ce dernier se força à rencontrer son regard. L'expression candide de son visage contrastait avec la lueur espiègle qui brillait dans ses yeux.

— Je vous propose quelque chose, lança-t-elle d'un ton léger. Retournez à l'hôtel, le temps qu'Iris recouvre son calme. Puis venez dîner avec nous ce soir.

Max la considéra d'un air soupçonneux. Pourquoi l'invitait-elle à dîner après lui avoir expressément demandé de se tenir éloigné de sa sœur cadette ? Décidément, les sœurs Mayflower finiraient par avoir raison de sa santé mentale !

Devant son évidente confusion, Lila partit d'un rire amusé.

— Cette invitation à dîner sera ma façon à moi de vous remercier de m'avoir tirée d'embarras, tout à l'heure... quand Iris m'a demandé comment s'était passé mon rendez-vous chez le dentiste, acheva-t-elle avec une moue penaude.

Ainsi, il avait deviné juste. A l'évidence cependant, Lila ne lui en dirait pas davantage sur ce mystérieux rendez-vous. Il réfléchit rapidement, esquissa une grimace comique.

— Iris ne vous remerciera certainement pas de m'avoir invité à dîner.

Lila eut un haussement d'épaules.

— Au cas où vous ne l'auriez pas remarqué, ma petite sœur est remontée contre moi en ce moment. Le fait que je pactise avec l'ennemi ne changera pas grand-chose à la situation, j'en ai peur !

Le visage de Max se rembrunit.

— *L'ennemi ?* Est-ce ainsi que vous me considérez, toutes les trois ?

Le rire cristallin de Lila retentit de nouveau.

— Acceptez mon invitation, Max. J'avais prévu de préparer un poulet rôti et des pommes de terre sautées. Je parie que vous n'avez guère l'occasion de savourer un vrai repas mitonné par une vraie cuisinière ! conclut-elle d'un ton malicieux.

Cette fois, Max ne put s'empêcher de sourire. Cette femme était d'une redoutable clairvoyance... Celui qui s'entircherait d'elle n'avait pas fini de souffrir, le pauvre !

8

— Peux-tu me répéter ça ? s'écria Iris en dardant sur sa sœur aînée un regard incrédule.

Concentrée sur sa sauce, Lila s'exécuta calmement :

— Je t'ai demandé de bien vouloir mettre quatre assiettes parce que j'ai invité Max à dîner ce soir. D'ailleurs, il devrait arriver d'une minute à l'autre.

Iris secoua la tête, abasourdie.

— Tu es devenue folle ou quoi ?

Sa sœur aînée haussa les sourcils.

— Pas à ma connaissance, non. Ecoute, Iris, je pense qu'il est préférable pour nous de découvrir sa véritable personnalité. De son côté, il aura certainement beaucoup plus de mal à nous écraser s'il nous connaît davantage, expliqua-t-elle avec une pointe d'impatience dans la voix.

Iris laissa échapper un rire désenchanté.

— Tu crois ça, vraiment ? Jusqu'à présent, je n'ai perçu aucune sensibilité humaine chez lui, déclara-t-elle, encore sous le choc.

— Eh bien, moi, je crois que tu te trompes, protesta Lila. En fait, je sens même un certain flottement dans sa détermination à nous mettre à la porte de chez nous, ajouta-t-elle joyeusement.

Iris leva les yeux au ciel.

— Je me demande où tu vas chercher tout ça, ma pauvre ! Et j'espère bien que Capucine saura te ramener à la raison, elle.

Lila haussa les épaules avec une désinvolture irritante.

— Laissons les choses suivre leur cours, d'accord ? murmura-t-elle, énigmatique.

— Fais comme bon te semble, répliqua Iris en dressant la table pour trois convives. J'irai dîner au restaurant !

— Voyons, Iris...

— Oh, quelle soirée détestable ! gémit Capucine en faisant irruption dans la cuisine, accompagnée d'une bourrasque de vent glacial et d'un tourbillon de flocons. Et ce n'est pas fini, regardez un peu sur qui je suis tombée dans la cour !

Elle fit un pas sur le côté et Max s'encadra dans l'embrasure de la porte. Iris le considéra d'un air interdit. Comment Lila avait-elle pu croire qu'elle accepterait de dîner tranquillement en sa compagnie ? Et lui, que diable, pourquoi avait-il accepté cette invitation idiote ?

Ne voyait-il pas qu'elle ne voulait pas de lui ici, chez elle ?

— Fermez vite la porte, je vous en prie, ordonna Lila sans se démonter. On dirait qu'une tempête se prépare, ajouta-t-elle en jetant un coup d'œil inquiet par la fenêtre de la cuisine.

— Je confirme, renchérit Capucine. C'est un temps à ne pas mettre un chien dehors, enchaîna-t-elle en arquant un sourcil narquois en direction de Max. Vous comptez rester longtemps, monsieur Golding ?

Ravie de la réaction de leur sœur, Iris gratifia Lila d'un regard triomphant.

— J'ai invité Max à dîner, Capucine, déclara cette dernière d'un ton réprobateur.

— C'est vrai ? dit Capucine, visiblement impressionnée par l'aplomb de son aînée. Dans ce cas, je ferais mieux de monter me changer avant de passer à table.

— Ne vous donnez pas cette peine pour moi, intervint Max. Lila m'a assuré qu'il s'agirait d'une soirée décontractée, ajouta-t-il en baissant les yeux sur son pantalon en toile et le pull en cachemire bleu marine qu'on apercevait sous sa veste matelassée.

Les yeux gris-vert de Capucine pétillèrent de malice.

— J'avais justement l'intention de passer une tenue plus décontractée, monsieur Golding, pas l'inverse, répliqua-t-elle d'un ton rieur avant de disparaître.

— Surveille la sauce un instant, s'il te plaît, Iris, demanda Lila avant de suivre son autre sœur à l'étage.

Iris et Max se retrouvèrent seuls dans la cuisine... Formidable, c'était tout ce qu'elle redoutait !

— Lila ne vous avait pas prévenue que je venais dîner chez vous ce soir ? demanda Max en balayant du regard la table dressée pour trois.

Iris lui coula un regard en coin.

— Nous étions en train de... d'en discuter quand vous êtes arrivé.

— Soyez franche, Iris, ma présence ne vous enchante guère, n'est-ce pas ?

— Vous le savez parfaitement, rétorqua la jeune femme en disposant de mauvaise grâce une quatrième assiette sur la table. Qu'espérez-vous, au juste ?

Cédant à la colère, elle se tourna vers lui.

— Ce n'est pas parce que Lila, pour une raison qui m'échappe, semble décidée à sympathiser avec vous que Capucine et moi en ferons autant, Dieu nous en préserve !

— Décidément, vous avez chacune un caractère bien trempé, fit observer Max avec un demi-sourire. Tenez, j'ai apporté de quoi faire la paix.

Il brandit la bouteille de vin qu'il tenait à la main.

— Lila m'avait dit qu'il y aurait du poulet au menu, continua-t-il en la posant sur la table. Laissons-le se réchauffer un peu.

Iris étouffa un soupir frustré.

— Pourquoi avez-vous accepté son invitation, Max ?

Il haussa les épaules.

— Par politesse, je suppose.

— Quand nous étions enfants, je ramenais toujours à la maison les oiseaux et les petits animaux blessés qui croisaient mon chemin, raconta Iris, songeuse. Et invariablement, Lila me rappelait qu'ils ne survivraient pas en dehors de leur environnement. Loin des leurs, ajouta-t-elle d'un ton entendu.

Les pupilles de Max se rétrécirent.

— Seriez-vous en train d'insinuer que je suis moi-même un être blessé ?

Iris le foudroya du regard, exaspérée.

— Ce que j'essaie de vous faire comprendre, c'est que vous feriez mieux de rester avec les gens de votre espèce !

Un sourire éclaira le visage de Max.

— Et à quelle espèce appartiens-je, Iris ?

— A celle des prédateurs ! répondit-elle du tac au tac.

Le sourire de son compagnon s'élargit, étrangement désarmant.

— J'ai bien peur qu'aucun homme ne résiste à une attaque en règle des trois sœurs Mayflower, plaisanta-t-il, goguenard.

A son grand désarroi, Iris sentit ses lèvres se retrousser. Décidément, Max Golding avait l'art et la manière de lui faire perdre tous ses moyens, contrairement à ce qu'il semblait croire ! Jamais encore elle ne s'était sentie aussi impuissante, aussi vulnérable en présence d'un homme. C'était complètement idiot, à la fin !

— Iris, reprit-il dans un murmure, parcourant en quelques enjambées la distance qui les séparait.

Sans lui laisser le temps de réagir, il prit son visage entre ses mains et la contempla avec intensité.

— J'ai vraiment cru que vous étiez la nouvelle victime de ce sale type, vous savez, confessa-t-il d'une voix rauque.

Iris retint son souffle, en proie à un trouble indicible.

— Qu'est-ce que ça aurait changé ? Mon sort vous importe peu, au fond.

— C'est faux, enfin ! Vous le savez pertinemment, Iris... n'est-ce pas ?

Il la dévisagea longuement en effleurant son front avec ses pouces. Iris secoua la tête.

— Je ne sais plus grand-chose en ce qui vous concerne, Max. A un moment donné, vous êtes prêt à me faire l'amour et l'instant d'après, vous... Enfin, nous savons l'un comme l'autre ce qui s'est passé après, conclut-elle amèrement en reculant d'un pas.

Les mains de Max retombèrent le long de ses hanches. Au grand soulagement d'Iris, ses sœurs les rejoignirent à cet instant précis. Lila lui jeta un regard intrigué ; à l'évidence, la tension qui régnait dans la pièce ne lui avait pas échappé.

— Capucine vient de me dire qu'il y avait encore eu une agression hier soir, déclara-t-elle en se dirigeant vers la cuisinière pour surveiller le repas.

— Oui ; je voulais t'en parler mais je... ça m'est sorti de l'esprit, marmonna Iris en évitant de croiser le regard de Max.

— Je voulais vous l'annoncer en rentrant, renchérit Capucine, mais pour une raison qui m'échappe, ça m'est également sorti de l'esprit, ajouta-t-elle en gratifiant Max d'une œillade entendue.

Elle avait troqué son tailleur strict contre un jean noir et un pull-over orange vif.

— Que ça ne t'empêche pas de leur annoncer la mauvaise nouvelle, l'encouragea Lila avec un soupçon d'impatience dans la voix.

— Pardon ? Oh... oui, bien sûr. C'est Josh, déclara-t-elle tout de go.

— Josh, quoi ? dit Iris tandis que Max répétait lentement :

— Josh... ? Le Josh qui doit épouser votre cousine Sara, c'est ça ? Samedi prochain ?

— C'est bien lui, en effet, confirma Capucine. Bien que je doute que le mariage soit toujours d'actualité, vu les circonstances.

— J'appellerai tante Lyn tout à l'heure, déclara Lila. C'est vraiment terrible pour eux.

— Attendez un instant, intervint Iris qui suivit la conversation sans comprendre, de plus en plus perplexe. C'est sûrement une erreur. Josh ne ferait pas de mal à une mouche... de là à agresser sept femmes coup sur coup...

— Grand Dieu, non, je me suis mal exprimée ! s'écria Capucine avec une moue contrite. Ce n'est pas lui l'agresseur, bien sûr... c'est la victime. D'après ce qu'on m'a dit, le type l'a roué de coups avec une violence inouïe.

Max croisa le regard effaré d'Iris. Une minute plus tôt, il avait senti une bouffée de colère l'envahir en l'entendant prendre la défense du jeune homme qu'il croyait lui aussi coupable et voilà qu'à présent, il n'y comprenait plus rien... !

— Mais c'est un homme ! s'écria Iris d'un ton incrédule.

La situation avait de quoi surprendre, en effet. D'après les quelques informations qu'avait pu glaner Max, toutes les autres victimes de l'agresseur étaient de sexe féminin.

— Est-on sûr qu'il s'agit bien du Maniaque Noctambule ? demanda-t-il en fronçant les sourcils.

— La police en est absolument certaine. L'agresseur a procédé de la même manière que les autres fois... Ils ont un mot spécial, je crois, dans leur jargon policier, conclut-elle en faisant la moue.

— Le *modus operandi*... le mode opératoire, si vous préférez, expliqua Max d'un ton songeur.

Capucine acquiesça d'un signe de tête tandis qu'une lueur espiègle allumait son regard.

— Evidemment, en tant que juriste, vous êtes censé connaître tout ça...

— Disons que je ne serais pas un bon avocat si j'ignorais ce genre de choses.

— Et nous savons toutes que vous excellez dans votre partie, renchérit Capucine.

— Merci, répliqua-t-il, conscient qu'il ne s'agissait aucunement d'un compliment dans la bouche acerbe de la jeune femme. La méthode est peut-être la même, reprit-il, de nouveau concentré sur l'affaire qui les préoccupait, mais le fait que la victime soit un homme change considérablement les données du problème.

Certes, les six victimes précédentes avaient été battues et non violées, mais pourquoi l'agresseur avait-il choisi un homme, cette fois ? A fortiori, Josh, jeune homme jovial qui ne dégageait pas une once d'agressivité... Pas étonnant que la police se montre aussi peu loquace dans cette affaire !

— Sara doit être toute retournée, commenta Iris d'un ton inquiet.

— Si ça ne vous dérange pas, je vais appeler tante Lyn tout de suite pour prendre des nouvelles de Josh ; et de Sara, bien sûr, déclara Lila avant de quitter la pièce.

— Je me charge de déboucher le vin pendant ce temps, suggéra Max dans l'espoir de détendre un peu l'atmosphère. Pourriez-vous me passer un tire-bouchon, s'il vous plaît, Iris ? ajouta-t-il comme aucune des deux sœurs n'esquissait le moindre geste, encore sous le choc de la terrible nouvelle.

— Oh... oui, bien sûr.

Le visage sombre, elle ouvrit un tiroir et lui tendit l'instrument.

— Et des verres, s'il vous plaît, Capucine ? reprit Max en débouchant la bouteille avec adresse.

Cette dernière cligna des yeux, arrachée à ses sombres pensées.

— Oui, chef, railla-t-elle en retrouvant un peu de son humour.

Elle ouvrit le vaisselier et choisit quatre verres à pied qu'elle disposa sur la table.

— Merci.

— De rien, dit Capucine en acceptant le verre qu'il lui tendait.

Elle prit une gorgée de vin et ferma les yeux.

— Mmm… c'est exactement ce qu'il nous fallait pour nous remonter le moral.

— Si j'avais su, j'aurais apporté deux bouteilles, plaisanta Max.

— C'eût été une bonne idée, en effet, renchérit Capucine en rouvrant les yeux.

Une lueur amusée dansait dans ses prunelles. Un peu à l'écart, Iris semblait encore ressasser le triste incident. Un pli barrait son front et ses yeux gris paraissaient presque noirs dans son visage étrangement pâle.

— Iris ? dit Max en indiquant le verre qu'il venait de remplir à son attention.

— Je n'arrive toujours pas à le croire, murmura-t-elle en s'emparant du verre. Il y a sûrement eu erreur sur la personne. Qui diable pourrait bien avoir l'idée de s'en prendre à Josh ? Cet homme est la gentillesse incarnée ; à ma connaissance, il ne compte pas le moindre ennemi, tout le monde l'apprécie, ici… Vous-même, Max, vous avez sympathisé avec lui alors que votre relation était plutôt mal engagée, vous vous souvenez ?

Au souvenir de cette soirée qui avait failli tourner court, un sourire embarrassé naquit sur les lèvres de Max.

— C'est vrai. Josh est un type extrêmement sympathique... Il m'a même invité à son mariage, murmura-t-il en croisant le regard perplexe de Capucine. Oh, c'est une longue histoire et je ne crois pas que ce soit vraiment le moment de...

— Je viens de voir le dernier bulletin météo, claironna Lila en pénétrant dans la cuisine. Ils ont annoncé un avis de tempête de neige sur toute la région.

Elle marqua une pause puis se tourna vers Max.

— Il est fortement déconseillé de prendre la route ce soir et cette nuit. Les habitants sont invités à rester chez eux pendant tout ce temps.

Un silence pesant accueillit ses paroles. Il y avait bien longtemps que Max n'avait pas possédé un vrai « chez lui » et la ferme des sœurs Mayflower était loin de constituer un « home sweet home » pour lui !

— Quand j'ai proposé à tante Lyn de rendre visite à Josh dans la soirée, elle me l'a formellement défendu, reprit Lila avec le plus grand sérieux. Désolée, Max, mais j'ai bien peur que vous soyez condamné à passer la nuit ici.

Décontenancé, il chercha le regard d'Iris... et eut l'impression de recevoir une gifle en surprenant son expression profondément contrariée.

9.

— C'est vraiment très aimable de votre part.

Iris sursauta. Occupée à faire le lit dans lequel Max dormirait, elle ne l'avait pas entendu arriver. Elle se retourna. Il se tenait dans l'embrasure de la porte et la contemplait d'un air indéchiffrable qui ne fit qu'accroître son trouble.

— C'était la chambre de votre père ? reprit-il en balayant la pièce du regard.

La brosse et le peigne de leur père reposaient toujours sur la table de toilette, tenant compagnie à quelques livres de poche écornés. Sur la table de chevet, à côté du vieux réveil, trônait crânement un portrait des trois sœurs.

Max s'en approcha, souleva le cadre et l'étudia longuement avant de le remettre en place.

— Adorable, murmura-t-il simplement.

Iris se détourna. Elle s'était sentie mal à l'aise toute la soirée : pendant le dîner puis lorsqu'ils avaient allumé la télévision pour suivre les dernières prévisions météorologiques. L'avis de tempête de neige valait à présent pour la quasi-totalité du pays. Les consignes restaient fermes : sauf cas de force majeure, il était fortement déconseillé de se déplacer en voiture. Des images de véhicules accidentés, abandonnés sur la chaussée par des conducteurs pris de court, avaient émaillé les commentaires du journaliste.

Résignée, Iris était alors montée préparer une chambre pour Max.

— J'espère que cela ne vous dérange pas, dit-elle en balayant la pièce d'un geste ample. Le seul autre lit vacant se trouve dans le petit studio que nous avons aménagé au-dessus du garage... et personne n'y a mis les pieds depuis l'été dernier, conclut-elle d'un ton précipité.

Max la dévisagea avec attention.

— C'est là que logeait votre ouvrier, c'est ça ?

Iris lui jeta un regard méfiant.

— Oui.

Max esquissa un sourire ironique.

— J'aurais plutôt pensé que vous seriez ravie de me faire mourir de froid là-haut.

Iris haussa les épaules, heureuse de changer de sujet.

— Et quelle explication aurais-je fournie aux gens qui auraient demandé de vos nouvelles ?

Max laissa échapper un petit rire.

— Qui vous dit que quelqu'un se serait soucié de mon sort ?

— Je suis sûre que Jude Marshall aurait été le premier à s'inquiéter du sort de son avocat préféré !

Max avait repris le cadre sur la table de chevet. Il leva brièvement les yeux de la photo des trois sœurs.

— Vous avez raison, admit-il, pince-sans-rire. Vous étiez toutes petites quand cette photo a été prise, ajouta-t-il en se concentrant sur le cliché.

Iris hocha la tête en s'approchant de lui.

— J'avais à peu près deux ans et demi. Capucine en avait trois et demi et Lila quatre et des poussières.

— Trois jolies gouttes d'eau, murmura Max en faisant allusion à la description que faisait de ses filles le chef de famille. C'est drôle, on dirait qu'il y a quelqu'un derrière vous, ajouta-t-il en plissant les yeux pour étudier l'arrière-plan du cliché. Ici, vous voyez... ?

Il pointa l'index sur une main qui reposait sur l'épaule gauche de Lila puis sur une autre, posée sur l'épaule droite de Capucine. Droite comme un i, Iris se tenait entre ses deux grandes sœurs.

— Etait-ce votre père ?

La jeune femme secoua la tête.

— Non. C'est lui qui a pris la photo.

— Alors de qui... ?

— C'était ma mère, répondit-elle d'un ton abrupt.

En évitant de croiser son regard, elle lui reprit le cadre et le remit à sa place, à côté du réveil. Max la considéra d'un air perplexe.

— Votre mère ? Mais...

— Avez-vous besoin d'autre chose avant que j'aille me coucher ? coupa Iris. Un café, une tisane... un petit en-cas ?

— Non, merci, répondit Max en reportant son attention sur la photo des trois sœurs. C'est tout de même étrange, vous ne trouvez pas ? Pourquoi aurait-on coupé votre mère alors que c'est sans doute l'une des dernières photos de vous quatre que possédait votre père ?

— Je l'ignore, répondit Iris d'un ton vague.

Elle avait posé la même question à son père, bien des années plus tôt — elle n'avait que huit ans, à l'époque — et la réponse était tombée, aussi brève qu'énigmatique : la photo avait été coupée pour rentrer dans le cadre, tout simplement... Mais l'expression de profonde confusion qui s'était alors inscrite sur le visage de son père l'avait dissuadée d'aborder de nouveau le sujet.

Le silence se prolongea quelques instants. Finalement, le visage de Max s'éclaira.

— Merci, Iris, mais je n'ai besoin de rien d'autre. Surtout, ne vous inquiétez pas, ajouta-t-il en la gratifiant d'un regard moqueur, je quitterai les lieux dès que le temps le permettra.

— Parfait... Enfin, je veux dire...

— Je sais très bien ce que vous voulez dire, Iris, déclara Max en venant se poster devant elle.

Ses yeux bleus pétillaient d'amusement comme il secouait lentement la tête.

— Et je ne peux pas vous en vouloir. A votre place, j'éprouverais exactement la même chose !

Iris ne sut que répondre. Comment réussirait-elle à le détester s'il se montrait aussi compréhensif ? Au fond, sa sœur Lila avait peut-être raison : si Max les connaissait mieux — et elle plus intimement que les autres, susurra une petite voix moqueuse —, sans doute aurait-il plus de mal à mener sa mission, aussi implacable soit-il en affaires. Du moins l'espérait-elle de tout cœur !

— Bien... alors à demain, bredouilla-t-elle en s'éloignant d'un pas décidé.

— Vous ne reviendrez donc pas me border et m'embrasser pour me souhaiter bonne nuit ? lança Max dans son dos.

Forçant son courage, elle lui fit face.

— Non, et je ne vous lirai pas d'histoire non plus ! répliqua-t-elle sur le même ton railleur.

— Comme c'est dommage, susurra-t-il en s'asseyant au bord du grand lit.

Puis, recouvrant son sérieux :

— Au fait, j'aimerais beaucoup venir avec vous, demain.

Iris arqua un sourcil interrogateur.

— Où donc ?

— Voir Josh, bien sûr. Vous avez bien l'intention de lui rendre visite demain, n'est-ce pas ?

— Oh... oui, naturellement ! Enfin, si le temps le permet. Mais ne vous sentez surtout pas obligé de... Max, que se passe-t-il ? articula-t-elle en le voyant bondir du lit sans crier gare.

En deux enjambées, il fut près d'elle. Sans lui laisser le temps de réagir, il l'attira contre lui et prit ses lèvres dans un baiser à la fois tendre et passionné, comme s'il désirait se faire pardonner quelque chose. Sous cette caresse aussi douce qu'inattendue, Iris se sentit fondre. Un gémissement rauque s'échappa des lèvres de Max et il prit son visage entre ses mains avec une délicatesse infinie. Elle s'abandonna contre lui, redécouvrant avec délice les sensations grisantes que lui seul savait lui prodiguer.

Il mit un terme à leur baiser et appuya doucement son front contre le sien pour plonger dans son regard voilé par le désir.

— Vous êtes la femme la plus extraordinaire que j'aie jamais rencontrée, confessa-t-il d'une voix enrouée.

A bout de souffle, Iris déglutit avec peine.

— C'est vrai ?

— Mmm, fit-il en esquissant une grimace dépitée. Vous sortez vos griffes comme un petit chat sauvage et l'instant d'après, vous répondez à mes caresses avec la douceur et la vivacité d'une jeune biche...

122

En proie à un trouble indicible, elle chercha à se ressaisir... et changea précipitamment de sujet.

— Vous m'avez interrompue, au sujet de Josh, commença-t-elle d'une voix mal assurée. Je me demandais simplement s'il était sage pour vous de sympathiser avec notre famille, compte tenu de... de la mission qui vous a été confiée par la Marshall Corporation.

Max continua à la dévisager, l'air songeur.

— J'ai bien peur que votre avertissement n'arrive un peu tard, chère Iris. Toujours est-il que je suis bien décidé à rendre visite à Josh, moi aussi. Peut-être a-t-il aperçu le visage de son agresseur, qui sait ? Peut-être même saura-t-il nous...

— Max, laissez à la police le soin de mener son enquête, l'interrompit Iris. Dois-je vous rappeler que vous êtes avocat et non inspecteur de police ?

— C'est vrai, mais quelque chose me tracasse dans cette histoire. Et bizarrement, ce n'est pas tant le fait que l'agresseur s'en soit pris à un homme, cette fois, ajouta-t-il en croisant le regard d'Iris.

— Max...

Elle se tut comme on frappait à la porte. Laquelle de ses deux sœurs s'inquiétait de ne pas la voir redescendre... ? Etouffant un soupir, elle se libéra de l'étreinte chaleureuse de son compagnon.

— Entre ! lança-t-elle en se tournant vers la porte qui s'ouvrit aussitôt.

Lila fit son apparition. Avant qu'elle ait le temps d'ouvrir la bouche, Iris prit la parole.

— Je voulais juste m'assurer que Max avait tout ce qu'il lui fallait.

Teinté de réprobation, le regard vert de Lila se posa brièvement sur Max avant de revenir sur sa jeune sœur.

— Et il n'a besoin de rien ?

— Pour un couchage improvisé, disons que j'ai tout ce qu'il faut, répondit l'intéressé.

Lila soutint son regard sans ciller.

— Vous trouverez un pyjama dans le premier tiroir de la commode, si vous en avez besoin.

— J'ai l'habitude de dormir en tenue d'Adam mais merci quand même.

Un demi-sourire joua sur les lèvres de Lila.

— Il fait certainement moins chaud ici que dans les endroits que vous fréquentez d'habitude, susurra-t-elle, doucereuse.

— Je n'ai rien remarqué... pour le moment, en tout cas, répliqua Max en la gratifiant d'un sourire insolent.

— Si nous laissions Max se coucher ? suggéra Iris, consciente de la tension grandissante.

— Nous nous levons à 6 heures, déclara encore Lila, manifestement décidée à avoir le dernier mot.

Max hocha la tête, les yeux pétillant d'espièglerie.

— A cette heure-ci, une tasse de thé au lit sera la bienvenue !

Lila émit une sorte de grognement méprisant.

— Personne ne nous apporte notre thé au lit, hélas... Invité ou non, vous serez logé à la même enseigne !

Il haussa les épaules.

— Je serais ravi de vous servir votre petit déjeuner au lit, vous savez.

Les yeux verts de la jeune femme lancèrent des éclairs.

— Je n'en doute pas un instant...

— Il te fait marcher, Lila, intervint Iris en dardant sur Max un regard faussement sévère. Cela dit, si l'envie vous prend de préparer le thé avant nous, sachez que nous le prenons toutes sans sucre ! ajouta-t-elle en poussant sa sœur vers la porte.

Une fois dans le couloir, elle rabroua sa sœur à voix basse :

— Dis donc, il me semble que c'est toi qui l'as invité à dîner, à l'origine.

— Peut-être, mais j'étais alors à mille lieues d'imaginer qu'il aurait le toupet de vouloir séduire ma petite sœur juste sous mon nez ! rétorqua Lila d'un ton offusqué.

— Ta petite sœur a vingt-cinq ans. Au cas où tu ne le saurais pas, elle est tout à fait capable de gérer seule ce genre de situation.

Lila secoua la tête.

— Pas avec Max Golding, c'est bien ce qui m'inquiète, dit-elle avec gravité. Je n'ai peut-être pas de conseil à te donner dans ce domaine, mais...

— Je t'en prie, Lila, pourrions-nous en parler une autre fois ? coupa Iris, gagnée par une soudaine fatigue.

Sa sœur la dévisagea longuement avant de hocher la tête, résignée.

— D'accord... mais promets-moi tout de même de... oh, rien, oublie ça.

Elle se tut un instant. Lorsqu'elle reprit la parole, un sourire contraint éclairait son visage.

— Demain est un autre jour, n'est-ce pas ?

Désarçonnée par ce revirement d'humeur, Iris ne put qu'acquiescer en silence. Demain était un autre jour, bien sûr, mais une certitude restait ancrée dans son cœur : ses sentiments pour Max seraient toujours là, plus vivaces que jamais, ne demandant qu'à s'épanouir. Et ce constat la plongeait dans une angoisse indicible.

Max s'était préparé à une nuit agitée — Iris était si proche et à la fois si inaccessible —, si bien qu'il fut surpris de constater qu'il avait presque dormi huit heures, d'un sommeil profond et réparateur. Un coup d'œil à sa montre l'informa qu'il était 7 heures du matin... trop tard pour songer à apporter une tasse de thé au lit à Iris et ses sœurs !

Un sourire étira ses lèvres comme il imaginait la tête de Lila s'il avait osé frapper à sa porte avec le plateau du petit déjeuner. L'aînée du clan Mayflower n'avait pas tardé à regretter de l'avoir invité à dîner, quelles qu'aient été ses motivations initiales.

A sa décharge, elle avait raison de se méfier de lui... car malgré tous ses efforts pour garder ses distances avec Iris, il continuait à se sentir irrésistiblement attiré par elle, au point de vouloir l'embrasser chaque fois qu'il la voyait !

Peut-être devrait-il opter pour...

Le cours de ses pensées fut interrompu par le claquement d'une porte, au rez-de-chaussée. Puis des bruits étouffés lui parvinrent de dehors, preuve, s'il lui en fallait une, que les trois sœurs étaient déjà en action. Et bien sûr, Lila devait être en train de fulminer contre leur hôte qui paressait encore à cette heure-ci !

La jeune femme avait eu raison de le mettre en garde contre le froid qui régnait à l'intérieur de la ferme, songea-t-il en s'habillant rapidement avant de gagner la salle de bains. Le carrelage était gelé sous ses pieds.

Max ne supportait le froid que lorsqu'il allait skier et là encore, les soirées et les nuits étaient toujours chaleureuses dans les luxueux chalets qu'il avait l'habitude de fréquenter. La journée, il dévalait les pistes de ski chaudement emmitouflé dans des tenues ouatinées... bref, il n'avait jamais véritablement connu la rigueur hivernale.

Quand il poussa la porte de la cuisine quelques minutes plus tard, seules Lila et Capucine étaient en vue. Une délicieuse chaleur régnait dans la pièce et Max se sentit soudain ragaillardi.

— Voulez-vous un peu de café ? proposa Capucine en s'emparant de la verseuse.

— Oui, merci, dit-il distraitement, conscient du mutisme boudeur de sa sœur aînée, attablée devant une tasse qu'elle contemplait avec une attention exagérée.

— Servez-vous si vous désirez du sucre et du lait, dit Capucine en posant une tasse fumante sur la table. Iris est partie traire les vaches, ajouta-t-elle.

— Après que nous avons déblayé le chemin qui mène à l'étable, précisa Lila.

Mal à l'aise, Max s'agita sur sa chaise.

— Y a-t-il quelque chose que je puisse faire pour vous aider ?

Le grotesque de sa proposition ne fit qu'accroître son embarras. Que connaissait-il aux travaux de la ferme ? Un sourire franchement moqueur naquit sur les lèvres de Capucine.

— Que diriez-vous de vous tenir à l'écart pour ne pas gêner ? lança-t-elle d'un ton cinglant.

Max se dépêcha de boire son café puis se leva, impatient de quitter cette ambiance étouffante.

— Je vais voir Iris. Je trouverai peut-être le moyen de lui être utile.

S'adossant à sa chaise, Lila darda sur lui un regard lourd d'ironie.

— Vous ne croyez pas que vous en avez déjà assez fait pour elle ?

Max soutint son regard, peu habitué à ce genre de résistance familiale. En vérité, il s'était toujours arrangé pour ne pas rencontrer les proches de ses anciennes conquêtes ! Il était grand temps pour lui de quitter les lieux, c'était évident... et pas seulement la ferme, mais la région !

Ce serait hélas plus facile à dire qu'à faire, songea-t-il en ouvrant la porte qui donnait sur la cour. Des congères de plus d'un mètre de haut se dressaient le long des bâtiments et le chemin qui conduisait à la route était complètement enseveli sous un épais manteau blanc.

— Notre oncle, le père de Sara, doit venir dégager le chemin et la cour dans la matinée, l'informa Capucine, visiblement amusée par son expression dépitée.

Sans se donner la peine de répondre, Max referma la porte derrière lui, enfila ses grosses chaussures de randonnée qu'il avait laissées sous le porche et prit la direction de l'étable. Les plaques de gel craquaient sous ses pas. Mais au moins avait-il cessé de neiger.

A quoi s'attendait-il en pénétrant dans l'étable ? Il n'aurait su le dire avec précision... En revanche, il ne s'attendait certainement pas à entendre le ronron des trayeuses électriques... ni à découvrir Iris comme il ne l'avait encore jamais vue !

Elle portait un jean délavé rentré dans des bottes en caoutchouc qui lui arrivaient aux genoux et une veste matelassée trois fois trop grande pour elle qui flottait

128

autour de ses jambes. Une longue écharpe en laine lui masquait le bas du visage tandis que sa longue chevelure sombre disparaissait complètement sous un bonnet multicolore.

Ses yeux gris pétillèrent d'amusement lorsqu'elle l'aperçut — et découvrit son expression stupéfaite. D'un geste gracieux, elle rabaissa son écharpe. Un sourire mutin flottait sur ses lèvres.

— Vous comprenez mieux mes doutes sur l'existence du coup de foudre à présent, non ?

Max se ressaisit rapidement, captivé par la vivacité de son regard et la fraîcheur de son sourire.

— Il est vrai que ça bat le tube de dentifrice pressé par le milieu et les pieds nus dans la maison, admit-il en avançant à l'intérieur de la bâtisse.

Il faisait nettement plus chaud ici que dehors — la chaleur animale, sans aucun doute. Mais l'odeur qui flottait dans l'air était pour le moins... déroutante.

Max esquissa une petite grimace gênée.

— Lila semblait légèrement... énervée contre moi, ce matin.

— Contre vous aussi ? dit Iris en haussant les épaules. Ça lui passera, ne vous inquiétez pas. Je n'en ai plus pour longtemps. Rentrez à la maison, si vous préférez. A moins qu'il y fasse trop froid ? ajouta-t-elle, taquine.

— Je résiste à pas mal de choses, vous savez... Mais je vais tout de même vous attendre.

A sa grande surprise, il prit un réel plaisir à la regarder traire la première rangée de vaches avec des gestes sûrs, précis. Lorsqu'elle passa à la seconde, il ne put réprimer un petit sourire.

Quelle serait la réaction des clients de l'hôtel s'ils voyaient la chanteuse de jazz du piano-bar, belle brune raffinée et sensuelle à souhait, en train de traire des vaches dans de vieux vêtements informes, le visage dépourvu de toute trace de maquillage ?

Et pourtant, elle était d'une beauté à couper le souffle !

Bon sang, que lui arrivait-il ?

La sonnerie de son téléphone portable l'arracha brusquement à sa rêverie. Sans même sortir l'appareil de sa poche, il savait qui cherchait à le joindre. Le décalage horaire n'avait jamais dérangé Jude que quelques heures de sommeil suffisaient à requinquer.

— Vous ne répondez pas ? s'étonna Iris comme les sonneries se succédaient.

Max haussa les épaules.

— Si c'est important, ils rappelleront plus tard.

Hélas, Jude était plutôt du genre obstiné. Et depuis quand Max ne répondait-il pas à ses appels ?

Ce dernier promena autour de lui un regard goguenard et la réponse lui apparut, évidente : depuis qu'il était tombé sous le charme d'une adorable créature qui avait même réussi l'exploit de l'attirer dans une étable pleine de grosses bêtes ruminantes !

10.

Iris réprima à grand-peine un soupir de soulagement lorsque Max se décida à prendre l'appel. Malgré son apparente désinvolture, elle ne se sentait pas très à l'aise sous son regard perçant. Et puis, traire les vaches n'était pas une activité très « glamour », même si cela faisait partie de son quotidien, que cela plaise ou non à Max !

— Tu ne dors donc jamais, Jude ? lança-t-il sans préambule en prenant l'appel.

Iris se raidit. Jude… ? Jude Marshall ?

— Jude, il me semble que nous avons déjà eu cette conversation pas plus tard qu'hier, reprit Max d'un ton impatient.

Au sujet de la ferme, sans aucun doute, songea Iris, gagnée par une bouffée de colère. Tout en continuant sa besogne, elle prêta l'oreille aux propos de son compagnon.

— Elles ne désirent pas vendre, c'est pourtant clair, non ? C'est ton droit, naturellement, ajouta-t-il d'un ton glacial. Non. Non, c'est hors de question. Je…

Il se tut, interrompu par un beuglement sonore.

— Qu'est-ce que c'est ? répéta-t-il à la suite de son interlocuteur, gratifiant Iris d'un clin d'œil complice.

C'est la télé, Jude, les informations régionales. Ecoute, j'imagine que tu ne m'appelles pas à cette heure-ci pour débattre des programmes télévisuels... Pour ta gouverne, cependant, plusieurs tempêtes de neige ont dévasté la région ces derniers jours. Oui, des tempêtes de neige ! Il fait un froid de canard et je commence à en avoir plus qu'assez de ce dossier...

Il écouta quelques instants avant de conclure d'un ton abrupt :

— Dans ce cas, tu n'as qu'à me mettre à la porte !

Ainsi prit fin la conversation téléphonique.

Iris leva sur lui un regard interloqué.

— Ne prenez pas cet air inquiet, marmonna Max en croisant son regard. Il n'y a aucun risque que Jude me licencie. Notre collaboration dure depuis trop longtemps.

Ainsi, ce n'était que de la provocation... Iris dissimula à grand-peine sa déception. L'espace d'un instant, elle avait vraiment cru que...

Le téléphone portable se remit à sonner, interrompant le cours de ses pensées. A l'évidence, Jude Marshall n'était pas du genre à essuyer une rebuffade.

— Vous ne répondez pas ? murmura-t-elle comme Max s'approchait d'elle à pas lents, le téléphone à la main.

— Je le rappellerai plus tard, répondit-il en éteignant l'appareil. Iris...

— Je... je suis vraiment très occupée, Max, bredouilla-t-elle en se détournant, craignant de se laisser aller s'il la prenait dans ses bras, comme il semblait en avoir l'intention. Et il fait un froid de canard, comme vous l'avez si bien dit. Mon oncle ne va pas tarder à dégager le chemin qui mène à la ferme ; vous pourrez bientôt regagner l'hôtel... et réserver votre billet retour pour les Etats-Unis, loin de ce climat exécrable, conclut-elle, cédant à la rancœur.

Les traits de Max se durcirent.

— C'est ce que vous désirez ?

— Bien sûr, affirma la jeune femme avec une légèreté feinte. Nous désirons tous reprendre tranquillement le cours de nos vies... pas vous ?

Les yeux de Max étincelèrent d'un éclat métallique.

— Ma vie n'est pas aux Etats-Unis.

— Peu importe, répliqua Iris en haussant les épaules. Une chose est sûre : elle ne se trouve pas ici.

Alors même qu'elle prononçait ces paroles, un pincement lui serra le cœur. L'idée que Max sortirait bientôt de sa vie, définitivement, lui était insupportable.

Le visage sombre, ce dernier la considéra un long moment avant de prendre la parole.

— Très bien. Je vais attendre votre oncle à l'intérieur. Mais je vous préviens : j'ai bien l'intention de venir avec vous quand vous rendrez visite à Josh.

Iris haussa les épaules, vaincue.

— Il est clair que rien ni personne ne vous fera changer d'avis. Maintenant, si vous voulez bien m'excuser, j'ai encore du travail, ajouta-t-elle en se détournant.

Quelques instants plus tard, la porte de l'étable se referma dans un claquement sourd. Les épaules d'Iris s'affaissèrent tandis qu'une larme glissait le long de sa joue. Cette fois, au moins, elle ne s'était pas retrouvée dans ses bras... Non, cette fois, elle lui avait demandé on ne peut plus clairement de partir, de quitter non seulement la ferme, mais le pays !

Tiraillée entre des sentiments contradictoires, elle exhala un long soupir. Car si elle avait envie de voir disparaître l'avocat de Jude Marshall, elle supportait mal de perdre du même coup l'homme dont elle était tombée amoureuse...

L'an dernier, elle s'était crue amoureuse de Ben et avait énormément souffert en découvrant les véritables raisons de l'intérêt qu'il lui portait. Leur père venait de mourir, la ferme était entre les mains des trois sœurs et le jeune agriculteur convoitait la propriété qu'il avait espéré acquérir en épousant l'une des trois héritières. Iris avait sombré dans un profond désespoir en apprenant qu'il avait essayé de séduire Lila et Capucine, toujours dans le même dessein, avant de se rabattre sur elle. Et comme une imbécile, alors que ses sœurs avaient vertement éconduit l'opportuniste, elle était tombée dans le panneau !

Et maintenant, c'était Max qui faisait battre son cœur, songea-t-elle. Max qui était chargé de les convaincre de se défaire de ce qu'elles avaient de plus précieux au monde... Quelle ironie du sort !

Qu'il parte, qu'il parte vite. C'était mieux ainsi. Il ne saurait jamais rien des sentiments qu'elle éprouvait pour lui et de son côté, elle s'efforcerait d'oublier les quelques moments magiques qu'elle avait vécus auprès de lui... même si la tâche s'avérait douloureuse.

Aussi se montra-t-elle plus que froide lorsqu'ils rendirent visite à Josh ensemble, dans la soirée. Deux agents de police montaient la garde devant la chambre d'hôpital. Heureusement, Tante Lyn avait pris soin de les prévenir de leur visite.

Au bout du compte, la jeune femme se réjouit de la présence de Max à son côté car la vue de Josh sur son lit d'hôpital lui causa un choc immense. Son agresseur n'y était pas allé de main morte : plusieurs points suturaient une grande balafre qui courait sur sa tempe, un gros hématome violacé marquait son menton et son bras gauche était maintenu dans une attelle.

— Bonsoir ! dit-il d'un ton plutôt enjoué. Vous avez loupé Sara, elle vient juste de partir ; j'ai réussi à la convaincre que je ne mourrais pas si elle rentrait se reposer un peu à la maison, expliqua-t-il en esquissant un pâle sourire. Oh, bonjour, Max.

Bouleversée, Iris se pencha pour l'embrasser sur sa joue droite, apparemment indemne.

— Celui qui t'a fait ça mérite de...

— Chut, Iris, Sara l'a déjà répété mille fois, plaisanta-t-il. Dire qu'il a fallu que je me fasse tabasser pour découvrir la violence qui couve en elle quand il s'agit de défendre son bien-aimé, ajouta-t-il dans un sourire attendri.

— Alors que moi, je savais déjà ce dont Iris était capable, intervint Max, pince-sans-rire.

La jeune femme lui coula une œillade menaçante. Il n'avait pas complètement tort, cela dit : en allant le trouver dans sa chambre d'hôtel dimanche soir, elle était bien décidée à le gifler pour le punir de l'odieuse machination dont elle le croyait responsable.

— Dire qu'on les appelle le sexe faible ! renchérit Josh, d'humeur taquine. Je préfère mille fois avoir affaire à un homme, croyez-moi ! Bien que celui qui m'est tombé dessus lundi soir ne m'ait guère laissé l'occasion de me défendre, ajouta-t-il en retrouvant son sérieux. Le salaud... il a essayé de m'assommer avec quelque chose, expliqua-t-il en portant la main à la balafre qui zébrait sa tempe ; je me suis effondré sous la violence du choc et il en a profité pour me rouer de coups de pied !

— Encore un qui ne connaît pas les règles d'un bon match de boxe, commenta Max, caustique.

Josh ne put s'empêcher de sourire.

— Le fair-play ne faisait pas partie de son réper-
toire, en effet.

Iris se laissa tomber sur la chaise qui trônait à côté
du lit, effarée par la violence des coups portés à Josh.
Et elle ne protesta pas lorsque, quelques instants plus
tard, Max s'assit près d'elle et lui prit doucement la
main. Au contraire, le contact de ses doigts fermes et
chauds apaisa quelque peu son angoisse.

— Dieu merci, Sara ne voit pas d'inconvénient à
ce que j'aie cette tête-là sur les photos de mariage ; la
cérémonie a donc toujours lieu samedi, reprit Josh d'un
ton plus léger. Les médecins ont donné leur accord pour
que je sorte demain.

— Avez-vous une idée de l'identité de votre agresseur ? demanda Max.

— Pas la moindre. Il portait une espèce de cagoule
qui lui dissimulait le visage. La seule chose que j'ai
pu dire à la police, c'est qu'il m'a semblé reconnaître
sa voix.

Les yeux d'Iris s'agrandirent d'effroi. Ainsi, Josh
connaissait son agresseur ? Mais déjà, ce dernier repre-
nait d'un air dépité :

— Hélas, si le timbre m'a paru familier, je n'arrive
pas à visualiser son propriétaire. J'ai pourtant essayé
de fouiller dans ma mémoire, en vain. Ça m'échappe
complètement. Tout ce que je sais, c'est que j'ai déjà
entendu cette voix quelque part.

— Les heures de visite sont terminées, annonça
une infirmière en entrebâillant la porte de la chambre.
M. Williams doit se reposer, maintenant.

Josh grimaça.

136

— Je ne fais rien d'autre que me reposer depuis que je suis ici. J'ai hâte de rentrer à la maison, croyez-moi !

— Sara doit se réjouir, elle aussi, murmura Iris en l'embrassant de nouveau sur la joue avant de se lever.

A sa grande surprise, Max se leva à son tour tout en gardant sa main dans la sienne.

— Prenez soin de vous, dit-il en serrant la main du jeune homme.

— Je vous verrai tous les deux samedi, lança Josh comme ils se dirigeaient vers la porte. Au mariage !

Iris et Max quittèrent la pièce en silence.

— Ne prenez pas cet air angoissé, Iris, marmonna Max en lui coulant un regard de biais. Je suis sûr que Josh ne remarquera même pas mon absence parmi tous les invités. Mon passage dans la région m'aura au moins servi à édicter une nouvelle règle : ne jamais me trouver là où ma présence n'est pas désirée ! conclut-il, sardonique.

— Max...

— Ne dites rien, coupa-t-il comme ils sortaient de l'hôpital. J'en ai assez entendu pour aujourd'hui. A un de ces jours, ajouta-t-il en pressant le pas.

Iris fronça les sourcils, décontenancée.

— Vous ne voulez pas que je vous raccompagne à l'hôtel ?

Dans son emportement, Max avait oublié qu'Iris était passée le chercher, un moment plus tôt. Quoi qu'il en soit, il préférait être seul.

— Je vais rentrer à pied, répondit-il d'un ton sec en remontant le col de sa veste.

— Mais...

— N'insistez pas, Iris, je vous en prie.

Mais sa détermination fondit comme neige au soleil lorsqu'il vit les yeux gris de la jeune femme s'embuer de larmes.

— Josh se remettra vite de sa mésaventure, ne vous inquiétez pas, murmura-t-il en effleurant son bras d'un geste apaisant. Il est encore sous le choc, c'est normal, mais il est jeune, il tournera la page.

La gorge nouée, Iris acquiesça d'un signe de tête.

— Physiquement, peut-être, mais psychologiquement...

— Ça ira aussi, ne vous en faites pas. Je suis sûr que votre cousine y veillera !

A son grand soulagement, un sourire éclaira le visage de la jeune femme. Il se détestait de l'avoir rendue si triste. En fait, il détestait tout ce qui la rendait malheureuse.

— Il faut que je rentre. Soyez prudente sur la route, d'accord ? ne put-il s'empêcher d'ajouter.

— D'accord, répondit Iris d'un ton absent. Et vous, passez une bonne soirée.

Sans attendre sa réponse, elle tourna les talons et s'éloigna en direction de la voiture de sa sœur. Debout sur le trottoir, Max la suivit des yeux. C'était peut-être la dernière fois qu'il la voyait. Il avait besoin de réfléchir, de mettre de l'ordre dans ses pensées. Le vœu d'Iris de le voir partir se réaliserait peut-être.

Elle agita la main dans sa direction en quittant le parking. Elle était encore pâle après leur visite à Josh, mais toujours aussi belle.

Max demeura un long moment immobile, les yeux rivés sur la voiture qui disparut au coin de la rue. Son esprit était en pleine ébullition. Jude ne le licencierait pas, c'était certain. Mais lui, ne devait-il pas donner sa démission ? Pour la première fois depuis qu'il travaillait pour le compte de la Marshall Corporation, son travail passait au second plan et il se sentait profondément déloyal envers son ami.

Tête basse, les mains enfouies dans ses poches, il prit la direction de l'hôtel, contournant les nombreuses plaques de verglas et les amas de neige boueuse qui jonchaient encore les trottoirs de la ville.

Transi de froid, il se fit couler un bain chaud tout de suite en arrivant. Le téléphone sonna alors qu'il tentait de se relaxer dans l'eau parfumée. C'était encore Jude, sans aucun doute. Il ne fit aucun effort pour aller décrocher.

— Toujours fidèle au poste, John ?

Max gratifia le barman d'un sourire amical en descendant prendre un verre une heure plus tard, avec l'espoir de démêler l'écheveau de ses pensées, toujours aussi confuses.

— J'ai parfois l'impression d'être ici chez moi ! répliqua John d'un ton goguenard.

Max laissa échapper un petit rire avant de passer sa commande. John était bien le seul ici à lui manifester un peu de sympathie et ce n'était pas désagréable !

Quelques instants plus tard, ce dernier lui apporta son whisky.

— Et vous, on dirait que vous vous plaisez dans la région… ?

Max haussa les épaules.

— Disons que mes affaires prennent un peu plus de temps que prévu, expliqua-t-il vaguement.

John hocha la tête d'un air compréhensif.

— Il faut dire que la neige ne doit rien arranger. Je... oh-oh, voilà Meridew qui vient encore traîner ses guêtres ici, enchaîna-t-il à voix basse en croisant le regard interrogateur de Max. J'étais de congé hier et avant-hier mais ça fait une bonne semaine qu'on le voit errer dans tout l'hôtel comme une âme en peine.

Sur ce, le barman entreprit d'épousseter les étagères qui surplombaient le bar. Le directeur de l'hôtel ne tarda pas à les rejoindre.

— Bonsoir, monsieur Golding ! J'espère que votre séjour parmi nous vous apporte entière satisfaction.

Max se tourna vers Peter Meridew. Un léger pli barra son front lorsqu'il aperçut le bandage qui ornait la main droite du directeur.

— Absolument, assura-t-il d'un ton mielleux. Une blessure de guerre ? ajouta-t-il en indiquant la main pansée de son interlocuteur.

Le visage de l'homme s'empourpra.

— Je me suis foulé le poignet, rien de grave, expliqua-t-il plutôt sèchement. Si vous n'avez besoin de rien, permettez-moi de vous souhaiter une bonne soirée...

Saisi d'un curieux pressentiment, Max le rappela alors qu'il s'apprêtait à tourner les talons.

— J'aurais besoin de votre aide, justement.

Les paroles de Josh résonnèrent dans son esprit, troublantes. Le jeune homme était persuadé d'avoir reconnu la voix de son agresseur... Peter Meridew ne s'était-il pas entretenu avec Josh et ses camarades le soir de son enterrement de vie de garçon ? En outre, le directeur de l'hôtel venait toujours faire un tour au bar lorsque Iris se produisait... Il y avait ça, plus la main bandée de Peter Meridew...

Au final, cela ne donnait que de maigres indices, peut-être de simples coïncidences, rien de plus ! Et en tant qu'avocat, Max savait pertinemment qu'il ne s'agissait pas de preuves concrètes. La voix du directeur l'arracha à ses réflexions.

— Oui ? Que puis-je faire pour vous, monsieur Golding ?

Pris de court, Max chercha rapidement un prétexte.

— Je... je vais probablement quitter l'hôtel dans un ou deux jours...

— Cela ne pose aucun problème, monsieur Golding. Il vous suffira d'appeler la réception le matin même de votre départ et nous préparerons votre facture sur-le-champ.

— Merci, répondit Max en hochant la tête.

— Quel dommage que vous nous quittiez déjà, murmura John après le départ du directeur. Dans mon métier, il est rare de côtoyer les mêmes personnes plus de deux soirs d'affilée, et encore moins pendant toute une semaine.

Max esquissa un sourire compréhensif. Il éprouvait les mêmes difficultés dans sa profession — les sœurs Mayflower, à cause de leur ténacité, faisaient figure d'exception à la règle.

— Alors, dites-moi tout, qu'est-il vraiment arrivé à Peter Meridew ? demanda-t-il en gratifiant le barman d'un clin d'œil complice.

— Eh bien... il prétend s'être tordu le poignet en bricolant chez lui mais nous soupçonnons tous une querelle conjugale. Mme Meridew se serait emportée et lui aurait tordu le bras, quelque chose comme ça.

Max haussa les sourcils.

— Parce qu'il y a une Mme Meridew ?

— Hé oui. Il la sort tous les ans, pour la fête de Noël de l'hôtel… une vraie mégère, croyez-moi. Elle est deux fois plus baraquée que lui et il est clair que c'est elle qui porte la culotte, chez eux… ce qui explique pourquoi il se montre aussi autoritaire ici ! Il se rattrape, pensez-vous !

Max songea longuement aux paroles du barman. Les pièces du puzzle commencèrent à s'imbriquer dans son esprit. Josh avait reconnu la voix de son agresseur, même s'il ne pouvait l'identifier formellement. Peter Meridew semblait s'être pris d'affection pour Iris. Il était présent le soir où Josh l'avait embrassée pour relever le défi lancé par ses camarades. Il avait erré toute la semaine, comme une âme en peine. Il s'était blessé à la main et pour couronner le tout, il était marié à une femme tyrannique qui, vraisemblablement, lui menait la vie dure.

Un simple faisceau d'indices, certes, mais cela valait tout de même la peine de creuser la piste…

— Je dois passer un coup de fil, déclara-t-il à l'attention de John avant d'avaler la dernière gorgée de son whisky. Bonne fin de soirée…

— Oh, la soirée est loin d'être terminée, hélas !

Sur un dernier sourire compatissant, Max quitta le bar et regagna sa suite. Il devait encore glaner quelques renseignements avant d'entrer en contact avec les enquêteurs de police.

A la ferme Mayflower, ce fut Lila qui décrocha le téléphone.

— Bonsoir, Lila, Max à l'appareil. Pourrais-je parler à Iris ?

— Elle n'est pas là, répondit la jeune femme d'une voix teintée de satisfaction.

142

Max fronça les sourcils.

— Où est-elle ? Je vous en prie, Lila, répondez-moi.

— Oh, vous avez de la chance, j'entends la voiture dans la cour. Ne quittez pas, voulez-vous ?

Les minutes se succédèrent, interminables. Finalement, la voix d'Iris retentit à l'autre bout du fil, légèrement essoufflée.

— Allô ?

Une vague de soulagement déferla sur Max. Jamais encore il ne s'était autant inquiété pour une femme !

— Où étiez-vous passée ? demanda-t-il sans ambages. Je croyais que vous deviez rentrer directement chez vous.

— Ce ne sont pas vos affaires mais pour votre information, je suis passée voir Sara en chemin, répondit Iris sans cacher son irritation.

— Oh... comment va-t-elle ?

— La pauvre est bouleversée, vous vous en doutez. Max, puis-je connaître la raison de votre appel ?

Max étouffa un soupir.

— J'ai une question à vous poser, Iris... juste une et je vous serais infiniment reconnaissant de bien vouloir me répondre, enchaîna-t-il comme elle s'apprêtait à protester.

Un silence tendu s'installa à l'autre bout du fil.

— D'accord, murmura-t-elle finalement. Une seule question. Je vous écoute.

— Depuis combien de temps travaillez-vous à l'hôtel ?

— Max... en quoi cela vous importe-t-il, pouvez-vous me le dire ?

— J'ai besoin de le savoir, c'est tout, déclara Max, délibérément évasif.

Iris laissa échapper un soupir résigné.

— Depuis sept mois, à peu près, répondit-elle finalement. Oui, c'est ça, sept mois. J'ai dû commencer en mai. Mais pourquoi diable... ?

— C'est tout ce que je voulais savoir, coupa Max tandis que son cerveau réagissait au quart de tour.

Sept mois, sept agressions. Ses soupçons continuaient à prendre forme.

— Max...

— J'ai promis de ne vous poser qu'une seule question, chère Iris. Bonne fin de soirée !

Et il s'empressa de raccrocher avant qu'elle ait le temps de l'interroger. Il était encore bien trop tôt pour qu'il se risque à lui confier ses soupçons au sujet de Peter Meridew. D'un autre côté, si ses doutes se confirmaient, le danger continuait à planer autour de l'hôtel... Il lui fallait donc agir au plus vite, le plus lucidement possible.

Une évidence s'imposa à lui, limpide : il était hors de question qu'il quitte la région tant que l'affaire ne serait pas classée, avec le coupable sous les verrous.

Et surtout... surtout, il resterait ici jusqu'à ce que Iris soit définitivement hors de danger.

11.

— Vous êtes encore là ? lança Iris d'un ton peu amène
en découvrant Max au bar lorsqu'elle arriva au travail, le
jeudi soir. Vous n'avez pas trouvé d'autres petites vieilles
à mettre à la porte par ce froid glacial ? Bonsoir, John,
ajouta-t-elle, radoucie, à l'adresse du barman.

Sans ralentir le pas, elle se dirigea directement vers le
piano. Depuis le mystérieux coup de téléphone de Max
la veille au soir, son humeur oscillait entre l'irritation
et la perplexité. En vérité, c'était souvent la colère qui
l'emportait sur l'étonnement déclenché par la curieuse
question de Max.

— Bonsoir, Iris, répondit Max d'un ton suave en pivotant sur son tabouret pour la suivre des yeux. Corrigez-
moi si je me trompe, mais il ne gèle plus dehors... la
température a sensiblement remonté, non... ?

— Votre patron projette de transformer Hanworth
Manor en un vaste complexe hôtelier équipé d'un centre
de remise en forme haut de gamme ! explosa Iris, forte
des renseignements que Capucine avait enfin réussi à
glaner. Nous sommes dans le Yorkshire, Max, pas dans
le sud de la France !

Une étincelle alluma les yeux bleus de l'avocat.

— Dois-je comprendre que les habitants du Yorkshire n'ont pas le droit de goûter au bien-être de leur corps et aux soins esthétiques ?

— Ce n'est pas ce que je voulais dire, répondit Iris d'un ton coupant. Simplement, je crois que votre patron n'a pas suffisamment observé les conditions climatiques de notre région. Les chutes de neige que nous avons eues avant-hier n'ont rien d'extraordinaire en cette période de l'année.

Selon les sources de Capucine, l'ambitieux projet comprenait un hôtel cinq étoiles, un centre de remise en forme, un complexe sportif ultrasophistiqué équipé d'une piscine couverte ainsi que, cerise sur le gâteau, un golf de dix-huit trous... au beau milieu duquel se dressait la ferme familiale !

Max secoua la tête.

— Ce ne sont que des spéculations de votre part, Iris...

— Mes sources sont tout ce qu'il y a de plus fiable, détrompez-vous, rétorqua la jeune femme avec assurance.

Capucine tenait ces informations d'une personne très bien placée dans le secteur de l'immobilier mais connaissant l'opiniâtreté de Max et de son patron, Iris s'abstint de révéler son identité. Mieux valait rester sur ses gardes avec ce genre d'individus.

— Vous risquez de vous heurter à l'hostilité de pas mal de gens du coin, vous savez, ajouta-t-elle par pur esprit de provocation.

A la vérité, elle ignorait tout de la réaction des habitants. Le taux de chômage était relativement élevé dans la région, les emplois que ne manquerait pas de générer le nouveau complexe seraient sans doute les bienvenus. Mais cela aussi, elle se garda bien de le dire !

— Les sœurs Mayflower se feront évidemment un plaisir de prendre la tête des mécontents, railla Max.

— Evidemment. Aussi bizarre que cela puisse vous paraître, je doute que nos vaches et nos moutons apprécient d'entendre siffler les balles de golf à leurs oreilles pendant qu'ils sont en train de paître !

Max la mit en garde d'un regard appuyé.

— Et si nous reparlions de tout ça une autre fois…

— Vous avez raison. En attendant, revenons plutôt à votre mystérieux coup de téléphone d'hier soir, susurra Iris en le défiant du regard.

Max se rembrunit. Sans mot dire, il se leva et la rejoignit à côté du piano.

— Je préférerais que vous restiez discrète au sujet de nos conversations privées, maugréa-t-il en balayant la salle du regard.

A part eux, il y avait trois autres personnes dans le piano-bar : John derrière le comptoir et un couple d'amoureux transis, tellement occupés à roucouler que le monde extérieur semblait ne pas exister pour eux. Iris haussa les épaules.

— Eh bien ? dit-elle à mi-voix, sourcils froncés. En quoi est-ce important pour vous de connaître ma date d'embauche ici ?

— C'était de la pure curiosité, c'est tout.

Iris le dévisagea quelques instants, sincèrement intriguée.

— De la curiosité ?

— Absolument. Ne devriez-vous pas avoir commencé votre tour de chant ? enchaîna-t-il sans transition. John me disait encore hier que Peter Meridew était d'une humeur massacrante, ces temps-ci.

Le regard d'Iris se teinta de dédain.

— Si vous voulez mon avis, vous devriez passer moins de temps à bavarder avec le personnel de l'hôtel et vous concentrer davantage sur la mission qui vous incombe !

Un sourire joua sur les lèvres de Max.

— Les sœurs Mayflower font partie intégrante de ma mission, et il se trouve que vous en êtes une...

Une manière détournée de lui faire comprendre qu'il avait la ferme intention de passer la soirée ici, à la regarder chanter... Formidable ! songea Iris en reportant son attention sur ses partitions.

Dieu merci, la salle se remplit rapidement ce soir-là et Iris n'eut aucun mal à ignorer la présence de Max. Mais les heures s'écoulèrent, les clients commencèrent à partir et il fut bientôt temps pour elle de rassembler ses affaires.

— Je vous raccompagne jusqu'à votre voiture, déclara Max lorsqu'elle longea le bar.

— Ne vous donnez pas cette peine, John s'est déjà proposé, répondit Iris en réprimant un petit sourire satisfait.

— A moins que vous préfériez la compagnie de M. Golding, intervint John, mal à l'aise. Il m'a semblé que ce serait plus prudent... après ce qui s'est passé lundi soir...

— Pas de problème, John, assura Max. Vous voyez, Iris, je ne suis pas le seul à me soucier de votre sécurité !

Excédée par sa désinvolture, la jeune femme le foudroya du regard.

— J'aurais très bien pu me débrouiller seule, vous savez.

Max haussa les épaules.

— Prudence est mère de sûreté.

— Je vous en prie, Max, soupira Iris en levant les yeux au ciel, épargnez-moi ces lieux communs !

Max laissa échapper un rire rauque.

— Veillez bien à ce qu'elle monte effectivement dans sa voiture, John, lança-t-il d'un ton espiègle. Il semblerait qu'elle ait la fâcheuse manie de filer à l'anglaise...

Iris pesta.

— Oh, vous...

— Bonne nuit, Iris.

Sans lui laisser le temps de réagir, Max se pencha vers elle et effleura ses lèvres d'un baiser aérien.

— Je vous la confie, John, ajouta-t-il à l'adresse du barman qui opina du chef en souriant.

Sur un dernier regard furibond, Iris s'éloigna à grandes enjambées en direction de la sortie tandis que le pauvre John s'efforçait de la suivre en boitillant légèrement de la jambe gauche.

— Je me suis tordu la cheville en jouant au foot, ce week-end, expliqua-t-il comme Iris ralentissait un peu le pas. C'est la vieillesse qui commence à me jouer des tours, ajouta-t-il en ponctuant ses paroles d'une grimace dépitée.

Quel âge pouvait-il bien avoir ? Iris n'en avait pas la moindre idée. Avec sa calvitie naissante et son allure dégingandée, il pouvait bien avoir trente ans comme quarante-cinq.

— Ne dites pas ça, John, dit-elle dans un sourire, consciente de la présence de Max qui se dirigeait vers la rangée d'ascenseurs. Tant que...

— Iris ?

Pivotant sur ses talons, elle aperçut Peter Meridew qui approchait d'un pas décidé. Tout ce dont elle avait besoin pour clôturer l'éprouvante soirée qu'elle venait de passer !

— J'aimerais m'entretenir un moment avec Mlle Mayflower, déclara le directeur de l'hôtel à l'adresse de John.

Ce dernier esquissa un sourire gêné.

— Je vous verrai demain, Iris. Monsieur Meridew.

Sur un hochement de tête poli, il s'éloigna.

— Allons dans mon bureau, nous serons plus tranquilles, reprit le directeur avec fermeté.

Iris réprima de justesse un soupir las. Il était presque 1 h 30 du matin, bon sang ! Etait-ce une heure pour s'entretenir avec un employé ? Si Peter Meridew n'avait aucune envie de rentrer chez lui, elle, au contraire, n'avait qu'une envie : retrouver son lit douillet !

— Ça ne pourrait pas attendre demain ? suggéra-t-elle à mi-voix.

Les traits du directeur s'assombrirent.

— J'ai reçu la visite de deux inspecteurs de police aujourd'hui. Ils voulaient m'entretenir des agressions qui ont eu lieu dans la région depuis quelques mois.

Iris fronça les sourcils.

— En quoi leur visite me concerne-t-elle ?

— Oh, elle ne vous concerne pas personnellement, bien sûr. Toutefois, ils m'ont clairement laissé entendre qu'il serait préférable que je veille de plus près à la sécurité de certains de mes employés.

En proie à un mauvais pressentiment, Iris se força à rencontrer le regard du directeur.

— Et donc ?

Peter Meridew inclina la tête de côté, visiblement embarrassé.

— Je crains, chère Iris, qu'il ne nous faille nous passer de vos services jusqu'à ce que le coupable soit arrêté et placé derrière les barreaux, débita-t-il d'un trait.

Iris suffoqua, interloquée.

— Pardon ?

— Vous avez parfaitement entendu. Bien sûr, je vous laisse terminer la semaine si vous en avez envie.

— Comme c'est généreux de votre part, marmonna Iris, submergée par un mélange de colère et de fatigue.

Peter Meridew exhala un soupir.

— Cette situation ne me réjouit pas plus que vous, Iris. Nous sommes tous très satisfaits de vos performances. Malheureusement, il semblerait qu'un de nos clients ait rapporté à la police que vous quittiez l'hôtel en pleine nuit, trois fois par semaine et que...

— Un de vos clients... ? répéta Iris en se tournant instinctivement vers les ascenseurs.

Max était déjà monté, bien sûr. Mais c'était lui, le client « délateur », cela ne faisait aucun doute dans l'esprit d'Iris qui entrevoyait déjà ses infâmes motivations, sa logique mesquine : s'il réussissait à couper les vivres aux sœurs Mayflower, celles-ci n'auraient plus d'autre choix que de vendre la ferme. C'était ce qu'il s'imaginait, en tout cas !

S'arrachant à ses sombres pensées, elle gratifia Peter Meridew d'un sourire mielleux.

— Je suppose que la police n'a pas le droit de vous ordonner de me mettre à la porte... ?

— Je ne vous mets pas à la porte, Iris, objecta-t-il avec hâte. Simplement, il me paraît plus prudent de suivre leurs conseils le temps que l'enquête suive son cours. Cela dit, nous serons heureux de vous réintégrer au sein de notre équipe dès que le coupable aura été démasqué.

Alors même que son sang bouillonnait dans ses veines, Iris parvint à conserver un calme apparent.

— Vous ont-ils révélé l'identité du client qui leur a fait part de mes horaires ? demanda-t-elle avec un détachement feint.

— J'ai essayé d'en savoir davantage mais ils n'ont rien voulu me dire. D'un autre côté, cette mesure me semble tout à fait justifiée dans le contexte actuel et nous avons donc décidé de…

— Vous passer de mes services, compléta Iris avec raideur. J'imagine que je n'ai pas voix au chapitre, de toute façon… ?

Le visage du directeur se radoucit.

— Iris…

— Très bien, Peter. Je comprends votre point de vue. Si vous n'y voyez pas d'inconvénient, j'aimerais partir, maintenant…

— Bien sûr, bien sûr… allez-y, je vous en prie, murmura-t-il, visiblement soulagé par sa réaction. Voulez-vous que je vous raccompagne jusqu'à votre voiture ?

Iris secoua la tête.

— Je vous remercie mais j'ai encore une petite chose à faire avant de partir.

Si Max espérait que son ignoble machination passerait inaperçue, il allait vite déchanter ! D'un pas rageur, elle se dirigea vers les ascenseurs.

Ainsi, il se souciait de sa sécurité… quelle farce !

*
* *

Dans d'autres circonstances, Max aurait été ravi de découvrir Iris sur le pas de sa porte à 1 h 30 du matin... En l'occurrence, son expression courroucée, la fureur qui étincelait dans ses yeux gris et ses pommettes rosies par une vive émotion lui indiquèrent aussitôt qu'il ne s'agissait pas là d'une visite de courtoisie !

— Voulez-vous entrer... ? Il semblerait que oui, ironisa-t-il comme elle pénétrait dans la pièce sans lui accorder le moindre regard.

Quelque chose ne tournait pas rond... et cette fois-ci, Iris n'était pas simplement agacée, elle bouillonnait de rage !

— Puis-je vous offrir quelque chose à boire ? proposa Max dans l'espoir de dissiper un peu la tension.

— Non. Mais ne vous gênez surtout pas pour moi. Avec un peu de chance, vous vous étranglerez en buvant !

— Mmm, je crois que je vais passer mon tour, moi aussi, murmura-t-il, de plus en plus perplexe.

Qu'avait-il bien pu se passer depuis qu'il l'avait laissée aux bons soins de John, à peine un quart d'heure plus tôt ?

— Comme c'est dommage, persifla Iris en lui lançant un regard noir. Je viens d'avoir une conversation très intéressante avec Peter Meridew et...

— Pardon ?

Un mélange de stupeur et d'effroi se peignit sur le visage de Max. Iris n'était donc pas partie avec John ? Bon sang, pourquoi n'avait-il pas attendu qu'elle monte dans sa voiture, il aurait dû...

— Vous avez parfaitement entendu ! lança Iris d'un ton accusateur. Vous pouvez être fier de vous : il vient de me renvoyer !

— Comment ?

— Je vous en prie, Max, cessez de jouer l'innocent ! Dans son immense bonté, Peter Meridew m'a autorisée à finir la semaine. Au terme de laquelle la direction a décidé de, je cite, se passer de mes services. Provisoirement, précisa-t-elle d'un ton sec. Nous connaissons tous deux la raison d'une telle décision, n'est-ce pas ? conclut-elle en lui lançant une œillade assassine.

Max la dévisagea sans comprendre. Peter Meridew avait signifié son congé à Iris ? Au vu des soupçons qu'il nourrissait à l'égard du directeur, cette décision lui paraissait totalement incohérente.

— Vraiment ?

Iris le toisa avec mépris.

— Vous ne réussirez pas à nous chasser de chez nous aussi facilement, Max ! Je trouverai un autre emploi, ça ne me fait pas peur... et vous retournerez à la case départ, avec vos plans ignobles !

En même temps qu'il commençait à comprendre ses insinuations, Max sentit monter en lui une bouffée d'indignation.

— Ecoutez-moi, Iris...

— Non, c'est à vous de m'écouter, coupa Iris avec véhémence. J'ai peut-être perdu mon emploi à cause de vous, mais ma détermination à vous mettre des bâtons dans les roues n'en est que plus grande !

— Iris...

— Oserez-vous prétendre que ce n'est pas vous qui avez signalé à la police mes départs tardifs de l'hôtel ? continua la jeune femme sur un ton de défi. Vous qui avez pointé du doigt les risques que je prenais en faisant le trajet seule, en pleine nuit ? Devant le fait accompli, Peter Meridew n'avait pas d'autre choix que de suspendre mon contrat ! Bravo...

154

Max grimaça. C'était lui, en effet, qui avait fait part de ses inquiétudes concernant Iris aux officiers de police chargés de l'enquête. Mais comment aurait-il pu deviner que cet abruti de directeur la renverrait en vertu de ses allégations ? D'autant que si ses soupçons s'avéraient fondés, Peter Meridew n'avait aucun intérêt à se passer des services d'Iris.

Encore fallait-il qu'ils s'avèrent fondés, justement...

Gagné par le doute, il prit une grande bouffée d'air.

— Ecoutez, Iris, je reconnais avoir signalé à la police vos horaires nocturnes, mais...

— Oh, vous le « reconnaissez », n'est-ce pas ? coupa-t-elle, cinglante. Eh bien, je...

— Pour l'amour du ciel, Iris, écoutez-moi un instant...

— Non ! C'est vous qui allez m'écouter ! Je veux que vous disparaissiez de ma vie, Max. Laissez-nous tranquilles, mes sœurs et moi. Partez et ne revenez plus jamais ! conclut-elle, le souffle court, les yeux étincelants.

Contre toute attente, Max la trouva plus jolie que jamais.

— Iris, voyons, gémit-il en tendant une main vers elle dans un geste apaisant.

— Ne me touchez pas ! s'écria la jeune femme en reculant vivement.

Vif comme l'éclair, il la prit néanmoins dans ses bras et l'attira fermement contre lui.

— Lâchez-moi, Max, articula Iris en tentant de se libérer. Lâchez-moi ou je vais...

Max baissa les yeux sur elle, sourcils froncés.

— Oui ?

Elle s'immobilisa soudain et ses grands yeux gris s'emplirent de larmes.

— Je ne veux pas ça, Max, murmura-t-elle d'une voix étranglée. Vous ne comprenez donc pas ?

Une vive douleur transperça le cœur de Max tandis qu'il soutenait son regard lourd de mépris.

— C'est vous qui ne comprenez pas, Iris. Si j'ai mentionné vos horaires à la police, c'est uniquement parce que...

Il se tut un instant avant de se jeter à l'eau.

— Parce que je m'inquiète pour vous, Iris ! compléta-t-il d'une voix étrangement enrouée. Parce que vous comptez beaucoup pour moi...

Iris secoua la tête d'un air incrédule.

— Il n'y a qu'une chose qui vous préoccupe, Max : votre petite personne ! répliqua-t-elle avec dédain.

C'était encore vrai il y a quelque temps, sans aucun doute. Mais il avait beaucoup changé en quelques jours.

— Iris, je n'ai encore jamais rencontré quelqu'un d'aussi têtu, d'aussi borné que...

— Pour votre gouverne, je préfère mille fois être bornée et têtue que froide et insensible... comme vous !

Max se figea, profondément blessé par ses attaques. Ses mains retombèrent le long de son corps comme il s'écartait d'elle. Un masque impénétrable voila son visage.

— Est-ce vraiment ce que vous pensez de moi ? demanda-t-il dans un murmure.

— N'est-ce pas ce que vous souhaitiez depuis le début ? éluda-t-elle avec ironie. Après tout, vous êtes le grand Max Golding, l'homme de main de Jude Marshall ; rien ne vous résiste !

Un silence pesant s'abattit sur la pièce. Le visage sombre, Max ne fit aucun commentaire. Etait-ce vraiment ce qu'il était devenu, un être sans foi ni loi qui ne reculait devant rien pour parvenir à ses fins ? Aussi surprenant que cela puisse paraître, cette idée lui répugnait.

— Voilà, je vous ai dit ce que j'avais sur le cœur, reprit Iris en ramassant son sac à main. Je préférerais que vous disparaissiez de nos vies, Max.

La douleur qui lui tenaillait le cœur s'intensifia lorsqu'il croisa son regard froid comme la pierre. Incapable d'esquisser le moindre geste, il la suivit des yeux comme elle se dirigeait vers la porte. L'instant d'après, il était seul.

En quittant sa chambre d'hôtel, Iris était sortie de sa vie.

Pour toujours.

En trente-sept ans d'existence, c'était la première fois qu'il reconnaissait que quelqu'un comptait pour lui. Iris occupait une place à part dans son cœur, une place que jamais personne n'avait encore tenue.

Les sentiments qui grandissaient en lui portaient un nom... n'est-ce pas ?

Même s'ils n'étaient pas réciproques...

12.

Quelqu'un la suivait !

Quand avait-elle commencé à remarquer la voiture qui la suivait au loin, s'engageant à sa suite sur les routes de campagne désertes qui sillonnaient les champs et les prairies nappés de brouillard nocturne ?

Tout à coup, les inquiétudes de Max au sujet de ses trajets tardifs ne lui parurent plus aussi grotesques...

Qui cela pouvait-il bien être ?

En proie à une sourde angoisse, elle jeta un coup d'œil dans son rétroviseur intérieur. Les deux phares transperçaient la nuit, trop distants pour qu'elle puisse identifier le véhicule et encore moins distinguer son ou ses occupants...

Un frisson courut le long de son dos lorsqu'elle s'engagea dans le petit chemin de terre qui conduisait à la ferme familiale. Si l'autre voiture tournait au même endroit, il ne ferait plus aucun doute qu'elle était bel et bien suivie...

Les doigts de la jeune femme se crispèrent sur le volant. Derrière elle, la voiture ralentit légèrement pour emprunter le même chemin. Une vague de panique la submergea.

Soudain, un éclair de lucidité déchira les brumes de son cerveau apeuré. Le téléphone portable !

Les trois sœurs n'en possédaient qu'un qu'elles se partageaient en fonction de leurs besoins et de leurs déplacements. Et bien sûr, sa sœur Lila avait toujours insisté pour qu'elle le prenne lorsqu'elle partait chanter à l'hôtel. Pour une fois, Iris bénit le côté protecteur de sa sœur aînée.

D'une main fébrile, elle fouilla dans son sac à la recherche de l'appareil. Qui appellerait-elle ? Ses sœurs ? Non, il n'y avait qu'un téléphone chez elles et il se trouvait au rez-de-chaussée alors qu'elles dormaient à l'étage, portes fermées pour garder la chaleur. Il n'y avait aucune chance que l'une d'elles entende la sonnerie. Max ? Certainement pas ! La police, c'était la seule solution, décréta-t-elle en agrippant l'appareil comme on s'accroche à une bouée de sauvetage.

Jetant un dernier coup d'œil dans le rétroviseur, Iris laissa échapper un petit cri de surprise. Derrière elle, la voiture s'était immobilisée. Puis les phares reculèrent comme le véhicule rebroussait chemin. Au bout de quelques instants, le conducteur fit demi-tour et s'engagea sur la route de campagne qu'il venait de quitter, en sens inverse. Un soupir de soulagement s'échappa des lèvres tremblantes d'Iris.

Comme c'était étrange...

Elle tremblait encore de tout son corps lorsqu'elle se gara dans la cour de la ferme, dix minutes plus tard. Au fond, ce n'était peut-être pas plus mal qu'elle n'ait plus à faire ce long trajet, seule dans la nuit... même si son amour-propre lui défendait de le reconnaître à voix haute !

Elle décida pourtant de ne pas parler de sa mésaventure à ses sœurs pour ne pas les affoler. Après tout, il ne lui restait qu'un soir à travailler.

— J'avoue que je ne comprends pas bien, déclara Lila en fronçant les sourcils, le lendemain matin.

Toutes deux étaient assises à la table du petit déjeuner, Capucine étant déjà partie travailler.

— Pour quelle raison Peter Meridew a-t-il suspendu ton contrat, au juste ?

— Pour quelle raison m'a-t-il virée, tu veux dire ! rectifia Iris, sarcastique. Pour ma propre sécurité, semble-t-il. Et il croit que je vais avaler ça… Mais ne t'inquiète surtout pas, je vais trouver autre chose, assura-t-elle avec un entrain forcé.

Lila prit un air songeur.

— Dans ce contexte, peut-être devrions-nous étudier plus sérieusement la proposition de Jude Marshall…

— Pardon ?

Iris se redressa brusquement, interdite.

— Je trouverai un autre emploi, Lila, répéta-t-elle d'un ton assuré. Et puis, peux-tu me dire où nous irions si nous décidions de vendre la ferme ?

Lila haussa les épaules.

— Vous pourriez prendre un appartement en ville, Capucine et toi. Ça vous éviterait ces allers-retours incessants pour aller travailler.

Iris écarquilla les yeux.

— Et toi ?

— Moi ?

Sa sœur s'agita sur sa chaise, visiblement mal à l'aise.

— Pour être franche, Iris, je… enfin, on…

160

— Oui ? dit Iris, intriguée par les hésitations de Lila.

Les joues de sa sœur s'empourprèrent.

— Eh bien, on m'a fait une proposition, tu comprends… Enfin, ce n'est pas vraiment une proposition mais plutôt… comment dire…

— Je t'en prie, Lila, exprime-toi clairement, veux-tu ? la pressa Iris, en proie à un mélange d'appréhension et de curiosité.

Lila exhala un soupir embarrassé.

— Disons que… j'ai reçu une proposition après la représentation que j'ai faite au théâtre, le jour de Noël ; il s'agit d'une audition pour un film que je… enfin que…

— Lila ! s'écria Iris, surexcitée. C'est vrai ?

Lila rougit de plus belle.

— J'ai inventé mon rendez-vous chez le dentiste, l'autre jour. En fait, j'ai déjeuné avec le réalisateur qui m'avait abordée à la fin de la représentation. Il…

Elle marqua une pause, humecta ses lèvres sèches.

— Il était venu passer Noël chez sa sœur qui habite dans la région et quand il m'a vue sur scène… Iris, si je me rends à cette audition et que l'équipe donne son feu vert, il me propose un rôle dans le film qu'il s'apprête à tourner l'été prochain ! conclut-elle d'une traite.

Iris avait toujours été consciente du talent de comédienne de sa sœur mais de là à tourner dans un film… ! C'était merveilleux… comme un rêve qui devient réalité !

— Lila, c'est formidable !

Sa sœur esquissa une grimace penaude.

— Non, Iris… Si je réussis l'audition et que je décroche le rôle, je n'aurai plus le temps de travailler à la ferme, expliqua-t-elle d'une voix étranglée. Et vous ne pourrez pas vous en sortir toutes seules, Capucine et toi.

Iris réfléchit rapidement. Lila avait raison, bien entendu. D'un autre côté, c'était une chance que sa sœur ne pouvait se permettre d'ignorer. Qui sait si une telle aubaine se représenterait à l'avenir ?

— Il faut absolument que tu passes cette audition, Lila, déclara-t-elle avec ferveur. Tu n'as pas refusé, j'espère ? enchaîna-t-elle en considérant sa sœur d'un air soupçonneux.

Cette dernière baissa les yeux.

— Disons que… j'ai demandé un peu de temps pour réfléchir, avoua-t-elle à mi-voix. Après tout, c'est une sacrée décision… qui pourrait provoquer pas mal de bouleversements.

— Mais imagine que ça marche ! Tu y as songé, quand même ?

— Oui, bien sûr, admit Lila dans un soupir. Et maintenant que tu as perdu ton emploi et que nous avons l'opportunité de vendre la ferme à un prix plus qu'intéressant… c'est comme si le destin nous poussait sur cette voie, tu ne crois pas ? Enfin… j'avoue que je suis un peu perdue, conclut-elle en secouant la tête d'un air las.

Dans un élan de tendresse, Iris prit la main de sa sœur aînée et la serra dans la sienne. Bien sûr, l'idée d'annoncer à Max qu'elles avaient changé d'avis lui déplaisait profondément. D'un autre côté, Lila devait à tout prix saisir sa chance de percer dans ce milieu qu'elle aimait tant, non ?

— Attendons d'en discuter avec Capucine, d'accord ? murmura-t-elle avec douceur, sensible au désarroi de sa sœur aînée.

162

Elle savait déjà que Capucine partagerait son avis. Lila avait toujours veillé sur elles, sans se préoccuper de son propre bonheur... Le moment n'était-il pas venu de lui rendre la pareille ?

La journée fut placée sous le signe des surprises et rebondissements en tous genres. Dans l'après-midi, Max passa les voir pour leur annoncer qu'il partait aux Etats-Unis dès le lendemain matin avec l'intention d'expliquer à Jude Marshall qu'il lui faudrait construire son complexe hôtelier autour de la ferme Mayflower.

Attablées dans la cuisine, Lila et Iris échangèrent un regard stupéfait. Comme le silence se prolongeait, Max les considéra à tour de rôle, intrigué.

— C'était bien ce que vous souhaitiez, n'est-ce pas ?

— C'était ce que nous souhaitions, en effet, concéda Lila d'un ton mal assuré.

— Iris ?

Il enveloppa cette dernière d'un regard pénétrant. Au prix d'un effort, Iris leva les yeux sur lui, plus que jamais consciente de son charme et de son magnétisme. Comme il était séduisant dans son costume sombre et sa chemise d'un blanc immaculé ! Les paroles qu'elle avait prononcées la veille lui revinrent à la mémoire, cruellement ironiques. Elles s'apprêtaient à rendre les armes alors qu'elles s'étaient toujours battues bec et ongles pour défendre leurs terres.

Mais c'était pour le bonheur de Lila...

— C'était bien ce que nous souhaitions, confirma-t-elle à son tour.

Les pupilles de Max se rétrécirent.

— Auriez-vous changé d'avis depuis ?

Iris jeta à sa sœur un regard implorant. Elle ne pouvait pas répondre, c'était au-dessus de ses forces !

— Nous... nous y pensons, en effet, avoua Lila.

Max les considéra à tour de rôle, totalement décontenancé par ce brusque revirement. Il y avait de quoi tomber des nues, en effet, songea Iris.

Ah, les femmes... arriverait-il un jour à les comprendre ? se demanda Max en dévisageant Iris puis Lila d'un air hébété.

Il n'avait pas fermé l'œil de la nuit, ressassant sans répit toutes les choses qu'Iris lui avait lancées au visage, maudissant sa propre faiblesse... Ne s'était-il pas juré de ne jamais baisser la garde... ? De ne jamais s'exposer pour ne jamais souffrir ?

Car Iris l'avait blessé, la veille au soir. Profondément. Son mépris, sa colère, son regard glacial l'avaient atteint en plein cœur.

Du même coup, sa décision de rentrer aux Etats-Unis s'était imposée à lui naturellement. Il commencerait par exposer la situation à son ami puis lui annoncerait qu'il refusait désormais de s'occuper de ce dossier-là. Jude n'aurait qu'à reprendre les rênes, s'il le désirait.

Et voilà que les sœurs Mayflower, par un coup de théâtre abracadabrant, semblaient à présent disposées à vendre leur propriété !

Sans attendre d'y être invité, il se laissa tomber sur une chaise.

— L'une d'entre vous pourrait-elle m'expliquer ce qui se passe, au juste ? demanda-t-il d'un ton las.

164

— Tenez, prenez donc un peu de café, dit Lila en poussant une tasse fumante dans sa direction.

— Merci.

Il prit une gorgée du breuvage, reposa sa tasse. Puis, comme le silence s'éternisait, leva les yeux sur les deux sœurs.

— Alors ?

— J'ai juste dit que nous y réfléchissions, Max, répondit Lila avec un soupçon d'impatience dans la voix. Disons que certains changements s'annoncent dans nos vies...

— C'est ce qu'Iris m'a dit hier soir... à moins que la perte de son emploi ne soit qu'un élément de votre décision, ajouta-t-il en surprenant l'échange de regards des deux sœurs. Désirez-vous m'en dire davantage ?

— Non ! s'écria Iris.

— Si ! objecta Lila en gratifiant sa cadette d'une œillade réprobatrice. On ne tire pas sur l'ambulance, Iris, voyons...

Un sourire joua sur les lèvres de Max.

— J'aimerais pouvoir rester plus longtemps pour vous voir tirer sur Jude !

— Faites-vous plaisir ! répliqua Iris, acerbe. Hélas, il semblerait que vous ayez déjà programmé votre retour aux Etats-Unis, n'est-ce pas ?

Max soutint son regard, luttant à grand-peine contre les émotions qu'elle faisait jaillir en lui.

— En effet, confirma-t-il d'un ton neutre. Alors, que s'est-il passé depuis hier ?

Il se tourna vers Lila, visiblement plus encline à fournir des explications que sa sœur.

— Est-ce que l'une d'entre vous va se marier ou quoi ?

Au moment même où il prononçait ces paroles, son cœur fit un bond dans sa poitrine. Et s'il s'agissait d'Iris ?

— Pas vraiment, non, répondit Lila avec un petit sourire.

Le cœur de Max retrouva son rythme normal. C'était déjà ça !

— J'ai été contactée par un réalisateur le jour de Noël ; il aimerait me faire faire un bout d'essai pour le film qu'il projette de tourner cet été, expliqua-t-elle d'un ton précipité. Je serai sans doute très mauvaise mais...

Elle n'acheva pas sa phrase, haussa plutôt les épaules. Max réprima un sourire. Ainsi, c'était ça, le faux rendez-vous chez le dentiste en début de semaine ? Et Iris, dans tout ça, qu'allait-elle devenir ?

Comme si elle avait deviné ses interrogations, cette dernière prit la parole avec un entrain forcé.

— Pour ma part, j'ai toujours rêvé d'assurer l'animation sur un bateau de croisière !

Lila fronça les sourcils.

— Ah bon ?

— Oui, je ne te l'avais jamais dit ? lança Iris en coulant à sa sœur un regard éloquent.

Max repoussa sa chaise et se leva.

— Bon, tout semble réglé, alors. J'espère que tous vos projets se concrétiseront, ajouta-t-il en hochant légèrement la tête. J'étais juste venu vous faire part de mes intentions en ce qui concerne le projet en cours.

Il inspira profondément. A présent que l'heure était venue de prendre congé d'Iris, son cœur était lourd comme du plomb.

— C'est très aimable à vous, Max, affirma Lila. N'est-ce pas, Iris ?

— Très.

Max esquissa un sourire désabusé.

— Si vous voulez mon avis, Lila, votre petite sœur est ravie de me voir partir !

Iris le gratifia d'un regard noir.

— Ça vous étonne ? Vous avez semé une belle pagaille depuis votre arrivée dans la région !

Elle pointa son menton en avant, gagnée par une bouffée de colère, tandis que ses pommettes rosissaient à vue d'œil.

— Iris, enfin ! la rabroua Lila.

— C'est pourtant la vérité, Lila ! Il nous a harcelées pour que nous acceptions de vendre la ferme, il m'a fait perdre mon emploi — sous prétexte de se soucier de ma sécurité — et il m'a rendue paranoïaque au point que j'ai même cru qu'une voiture me suivait cette nuit, quand je suis rentrée de l'hôtel !

Max se raidit, sur le qui-vive.

— Quelqu'un vous a suivie la nuit dernière ?

— Bien sûr que non ! répondit-elle, excédée. J'ai *cru* qu'on me suivait, nuance. En réalité, il s'agissait de quelqu'un qui devait habiter dans les environs, tout simplement !

Max la contempla avec attention.

— Vous en êtes sûre ?

— Absolument certaine. D'ailleurs, je suis là, en chair et en os, devant vous !

La langue plus acérée que jamais, songea Max en hochant lentement la tête.

— Certes. Mais j'ai cru comprendre que vous assuriez un dernier tour de chant au piano-bar de l'hôtel, ce soir... ?

— Tout à fait, répondit Iris en relevant le menton en signe de défi. Je vous verrai peut-être là-bas ?

Un sourire sans joie étira les lèvres de Max.

— C'est bien possible, murmura-t-il avant de se tourner vers Lila qui observait la scène, sourcils froncés, visiblement contrariée par la virulence de sa cadette. Je vous souhaite beaucoup de réussite dans votre future carrière, déclara-t-il avec sincérité.

La jeune femme rougit.

— Oh, je n'ai encore rien décidé, vous savez...

— Mais elle finira bien par se lancer, intervint Iris d'un ton ferme.

— C'est bien possible. Faites bon voyage demain, Max.

— Merci. A plus tard, Iris.

Le regard noir qu'elle lui lança lui arracha un petit rire.

— A moins que vous m'interdisiez l'accès au piano-bar, ajouta-t-il avant de quitter la pièce.

Son sourire s'évanouit dès qu'il se retrouva sur le pas de la porte. Il demeura immobile quelques instants, le regard perdu sur les champs qui s'étendaient à perte de vue autour de la ferme.

Iris avait-elle été suivie la nuit dernière ? Ou bien était-ce un habitant du coin qui rentrait également chez lui, comme elle l'avait prétendu ?

La question demeurait sans réponse et que cela plaise ou non à la jeune femme, il était de son devoir de rapporter les faits aux enquêteurs de police.

Il avait également un autre coup de téléphone à donner avant de rentrer faire ses valises. Il voulait parler à Josh une dernière fois. Iris pouvait bien le traiter de paranoïaque, il ferait tout pour assurer sa protection, même lorsqu'il serait parti !

13.

— John ne travaille pas, ce soir ?

Iris fit face à Max qui venait de faire son apparition
au piano-bar. Instinctivement, elle se tourna vers le
comptoir derrière lequel officiait un autre employé.

De son côté, Max détailla Iris d'un air admiratif. La
robe rouge qu'elle portait ce soir-là épousait divinement
les courbes de sa silhouette sensuelle.

Feignant d'ignorer l'onde de chaleur qui se diffusait
en elle, la jeune femme soutint son regard.

— Il était là tout à l'heure mais je crois qu'il ne se
sentait pas très bien, lança-t-elle en guise d'explication.
C'est sans doute sa cheville qui le faisait encore souffrir.
Il se l'est tordue en jouant au foot, ajouta-t-elle devant
l'expression perplexe de Max.

Le visage de ce dernier s'éclaira.

— Je n'ai jamais bien compris la fascination que
génère ce sport, sacré, ne l'oublions pas, au rang de
sport national, plaisanta-t-il.

— C'est aussi ennuyeux que le cricket, n'est-ce pas ?
riposta Iris sur le même ton.

Max rit de bon cœur.

— Un point pour vous !

Max ressemblait davantage à un joueur de rugby, décréta la jeune femme en admirant à la dérobée son grand corps puissamment musclé. Troublée par le cours de ses pensées, elle reporta son attention sur les partitions qui jonchaient le piano.

— Si vous voulez bien m'excuser... je dois ouvrir le bal.

Il acquiesça d'un signe de tête.

— J'ai moi-même quelques bricoles à régler, confia-t-il sans entrer dans les détails. Nous nous reverrons peut-être tout à l'heure.

La gorge nouée, Iris le regarda s'éloigner. Demain, il serait parti. Il quitterait l'hôtel, l'Angleterre. Sa vie. A cette pensée, un étau lui serra le cœur.

Il ne lui restait plus que quelques heures à tenir, songea-t-elle bravement. Après ça, elle pourrait donner libre cours au chagrin qui menaçait de l'engloutir depuis qu'il était venu leur annoncer qu'il rentrait aux Etats-Unis.

Il fallait absolument qu'elle se ressaisisse, songea-t-elle alors qu'elle sirotait son verre d'eau gazeuse au bar, lors de sa première pause. Max était resté invisible toute l'heure passée et déjà, sa présence lui manquait cruellement. C'était incroyable, d'éprouver des sentiments aussi intenses pour un homme qu'on connaissait à peine... Mais c'était ainsi, elle n'y pouvait rien !

Comment réussirait-elle à vivre sans sa formidable présence — irritante, troublante... enivrante !

— Un penny pour lire dans vos pensées...

Elle sursauta violemment au son de la voix de Max et s'empressa de refouler les larmes qui lui brouillaient la vue avant de se tourner vers lui.

— Ce ne serait pas plutôt un dollar, dans votre cas ? articula-t-elle avec peine.

Max secoua la tête.

— Je crois qu'il est grand temps de rétablir la vérité. Contrairement à ce que vous semblez croire, vos sœurs et vous, je n'habite pas aux Etats-Unis, Iris.

Les yeux de la jeune femme s'arrondirent de surprise.

— C'est vrai ?

— Eh oui, c'est vrai. D'ailleurs, je me demande bien ce qui a pu vous faire croire ça.

Iris fronça les sourcils.

— Vous nous aviez dit que vous arriviez d'Amérique. Et puis, l'entreprise de Jude Marshall est basée là-bas. Ça me semblait plutôt logique...

Etrangement, le fait de savoir que Max resterait de ce côté-ci de l'Atlantique apaisait d'une certaine manière la douleur qui lui étreignait le cœur.

— J'ai un appartement à Londres, Iris, déclara Max en étudiant son visage pâle. Un appartement que j'honorerai plus souvent de ma présence à l'avenir, j'en ai la nette impression, ajouta-t-il d'un ton énigmatique.

Iris l'interrogea du regard.

— Vraiment ?

— Vraiment. Iris...

— Monsieur Golding ?

Ils pivotèrent de concert sur leurs tabourets au son de cette voix autoritaire. En découvrant le policier en uniforme qui se tenait devant eux, Iris retint son souffle. Que se passait-il encore ?

— Oui ? dit Max sans se départir de son calme.

L'officier de police glissa un regard en direction d'Iris.

172

— Pourriez-vous me suivre un moment, monsieur ?

En proie à une sourde appréhension, Iris se laissa glisser de son tabouret.

— Je viens avec vous, déclara-t-elle comme Max emboîtait le pas au policier.

Il l'enveloppa de son regard bleu, légèrement voilé.

— Je préférerais que vous m'attendiez ici, Iris.

— Tant pis pour vous, insista-t-elle en glissant une main sous son bras pour le retenir.

Max l'enveloppa d'un regard mi-perplexe, mi-amusé.

— Ils ne vont pas m'arrêter, vous savez, Iris.

L'officier de police se tourna vers la jeune femme.

— Vous êtes Iris Mayflower ?

Les doigts d'Iris se resserrèrent autour du bras de Max.

— C'est bien moi, en effet.

— Ne prenez pas cet air affolé, Iris, murmura Max en se penchant vers elle. Ils ne vous arrêteront pas non plus !

— J'espère bien !

— Cependant...

Au moment où Max prenait la parole, la porte du bureau de Peter Meridew s'ouvrit et plusieurs personnes en sortirent, vraisemblablement d'autres policiers — deux en civil et deux autres en tenue qui poussaient devant eux, menottes aux poings, un homme vociférant et gesticulant comme un forcené.

— John ! s'écria Iris avant de poser sur Max un regard incrédule.

Le visage sombre, Max posa sa main sur la sienne.

— John est l'auteur des agressions qui ont eu lieu dans la région tout au long de ces derniers mois, Iris, l'informa-t-il d'une voix blanche.

— John est le coupable ? répéta-t-elle en se tournant vers le barman qui avançait d'un pas lourd entre les deux officiers de police.

Tordu par la colère et la frustration, le visage du barman ne ressemblait en rien à l'homme courtois et poupin avec qui elle avait sympathisé ces derniers mois. John... ? John aurait commis six agressions sur six jeunes femmes avant de rouer de coups le pauvre Josh, pas plus tard que lundi soir ? Non, ce n'était pas possible... Pourquoi aurait-il agi ainsi ?

Elle leva les yeux sur Max, assaillie par un terrible pressentiment. L'expression de son compagnon confirma ses doutes. L'instant d'après, un voile noir s'abattit sur elle et elle perdit connaissance.

Max enveloppa Iris d'un regard inquiet. Allongée sur le canapé dans le bureau de Peter Meridew, la jeune femme s'agita légèrement. Des cernes ombraient ses paupières frémissantes, et sa respiration était encore faible et saccadée.

Max l'avait prise dans ses bras avant qu'elle ne s'effondre et l'avait portée jusqu'au canapé, priant le directeur de bien vouloir les laisser seuls. En un sens, il était heureux de lui avoir épargné une discussion éprouvante avec les enquêteurs. En même temps, il appréhendait sa réaction lorsqu'elle reprendrait connaissance. Juste avant qu'elle s'évanouisse, il avait lu dans ses yeux qu'elle avait compris. Elle savait exactement ce qui avait poussé John à commettre ces terribles agressions.

Iris avait deviné qu'elle avait été l'instigatrice innocente et inconsciente de ce triste enchaînement.

— C'est à cause de moi, n'est-ce pas ? chuchota-t-elle d'une voix à peine audible, comme si elle avait lu dans les pensées de Max.

Ce dernier leva les yeux sur elle, soulagé de l'entendre.

— Comment vous sentez-vous ? demanda-t-il en prenant sa main dans la sienne.

Malgré la chaleur qui régnait dans la pièce, les doigts d'Iris étaient glacés. Elle cligna des yeux. Des larmes scintillèrent sur ses cils recourbés.

— John a commis ces agressions parce qu'il éprouvait des... sentiments refoulés pour moi, n'est-ce pas ? insista-t-elle d'une voix brisée.

Les doigts de Max se resserrèrent autour des siens.

— Ce n'est pas votre faute, Iris. Vous n'y êtes pour rien. Ce type est un détraqué.

Il se tut puis secoua la tête d'un air abattu.

— Comme quoi, il ne faut jamais se fier aux apparences... Un fou peut avoir l'air tout à fait normal.

L'ombre d'un sourire joua sur les lèvres d'Iris.

— Je ne suis pas sûre que cette remarque soit très flatteuse pour moi...

Max lui rendit son sourire, rassuré de la voir plaisanter de nouveau.

— C'était pourtant un compliment, croyez-moi. Vous allez mieux ? demanda-t-il comme elle se redressait pour s'asseoir auprès de lui.

Elle ne répondit pas. Ses grands yeux gris brillaient encore dans son visage blême.

— Comment auriez-vous pu deviner, Iris ? Et moi qui soupçonnais Peter Meridew il y a encore quelques heures de cela ! avoua-t-il d'une voix rauque.

Devant l'expression interdite d'Iris, il s'empressa d'expliquer :

— J'ai rendu visite à Josh en quittant la ferme, cet après-midi. Quand je lui ai confié mes premiers soupçons, il a eu une sorte de déclic. C'était la voix du *barman de l'hôtel* qu'il avait reconnue le soir de son agression. Il était formel. La police a surveillé John pendant tout le reste de l'après-midi, conclut-il d'un ton empreint de gravité.

— Alors vous aviez deviné ? souffla Iris, sous le choc.

Max grimaça.

— Disons que l'agression commise sur Josh m'avait aiguillé sur la piste de l'hôtel. Il avait affirmé que la voix de son agresseur lui était familière... Hélas, mes conclusions étaient erronées. A ma décharge, Peter Meridew se trouvait lui aussi dans la salle lorsque Josh vous a embrassée, samedi soir. John aussi, évidemment...

Iris le contempla d'un air abasourdi.

— Mais si John s'imaginait qu'il possédait certains... droits sur moi, pourquoi ne s'en est-il jamais pris à vous ?

Max esquissa un sourire.

— Bonne question. Le fait de savoir que je n'étais que de passage dans la région le rassurait peut-être. Josh et Peter Meridew, eux, représentaient de vraies menaces à ses yeux...

Iris secoua la tête.

— Et les autres femmes, pourquoi les a-t-il attaquées ?

— Il semblerait que toutes aient repoussé ses avances dans un passé plus ou moins proche. Bah, qui peut se vanter de comprendre un esprit perturbé ? conclut-il d'un ton docte.

La jeune femme déglutit péniblement.

— Il aurait peut-être fini par s'en prendre à moi si je m'étais montrée moins sympathique avec lui, murmura-t-elle, parcourue d'un violent frisson.

Max pressa sa main dans la sienne.

— N'y pensez plus, Iris. La police l'a arrêté. Il ne représente plus aucun danger pour quiconque, Dieu merci. Il a complètement perdu les pédales en apprenant ce soir que c'était votre dernier tour de chant. La police l'a pris en flagrant délit alors qu'il s'apprêtait à frapper Peter Meridew. Tout s'est enchaîné très vite, ensuite. Il semblerait qu'il soit passé aux aveux sans difficulté, conclut-il avec douceur, guettant avec angoisse les réactions de la jeune femme.

— C'est peut-être lui qui m'a suivie sur la route, la nuit dernière...

— Oh... non, dit Max, visiblement confus. J'en ai parlé à la police tout à l'heure... En fait, il s'agissait d'une de leurs patrouilles. Alertés par mes propos, ils ont préféré vous escorter de loin. Je suis désolé s'ils vous ont fait peur, Iris.

Max contempla le joli visage de sa compagne. Elle était très pâle, encore bouleversée par les derniers rebondissements de l'affaire.

Si seulement il pouvait la convaincre qu'il n'était pas le goujat sans cœur qu'elle imaginait...

Une chose était sûre, en tout cas : il était hors de question qu'il parte aux Etats-Unis, hors de question qu'il s'éloigne d'Iris, ne serait-ce que d'un pas !

14.

Une violente nausée submergea Iris. John... Le doux, le sympathique, le *discret* John. Qui aurait pu imaginer ça ?

Max, lui, y avait songé. Certes, ses soupçons s'étaient portés sur le mauvais homme mais il avait eu raison de la mettre en garde. Dire qu'elle n'avait rien voulu entendre !

Et toutes ces fois où elle avait bavardé avec John, plaisanté avec lui, accepté qu'il la raccompagne jusqu'à sa voiture...

Réprimant un nouveau frisson, elle leva sur Max un regard penaud.

— Je vous dois des excuses...

Les mots moururent sur ses lèvres lorsque Max se leva brusquement et la domina de toute sa hauteur, sourcils froncés.

— Je me moque de vos excuses, Iris. Je ne veux pas non plus de votre gratitude.

Iris vacilla sous la véhémence de ses propos. Un soupir s'échappa de ses lèvres.

— Je comprends que vous soyez en colère, Max, mais...

— Je suis furieux, oui ! Furieux contre moi-même ! J'aurais dû redoubler de vigilance, me montrer plus insistant auprès de la police... au lieu de quoi, j'ai tranquillement décidé de quitter l'hôtel, conclut-il tandis qu'un rictus étirait ses lèvres. Mais je ne pars plus, Iris. Je reste ici, est-ce clair ?

La jeune femme secoua la tête, désemparée.

— Je... je ne comprends pas.

Max s'agenouilla devant elle. Son regard chercha le sien, plus intense que jamais.

— Je ne pars plus aux Etats-Unis, je ne pars plus nulle part, d'ailleurs. J'ai l'intention de vous suivre comme votre ombre, acheva-t-il d'un ton vibrant d'émotion.

Saisissant les mains de la jeune femme entre les siennes, il reprit avec ferveur :

— Iris, j'ai décidé de donner ma démission à Jude.

Iris le contempla longuement avant de prendre la parole.

— A cause de toutes les choses que je vous ai dites ? Je suis désolée, Max, je ne les pensais pas vraiment, j'essayais juste de vous...

— Non, Iris, vous n'êtes pour rien dans ma décision. Je sais que je n'ai aucune excuse, continua-t-il sans la quitter des yeux, mais depuis le jour où ma mère nous a abandonnés, mon père et moi, je me suis juré de ne jamais laisser quiconque — en particulier une femme — me faire souffrir de nouveau. Mais vous...

Il s'interrompit, secoua lentement la tête.

— Vous êtes entrée dans ma vie sans même que je m'en aperçoive. Et je suis tombé amoureux de vous. Je vous aime, Iris, confessa-t-il avec ferveur. La seule idée de devoir me séparer de vous me rend fou. Pour vous dire à quel point vous me faites perdre la tête, ajouta-t-il avec une pointe d'humour dans la voix, je suis prêt à tout plaquer pour venir travailler à la ferme avec vous, si tel est votre désir. Je suis prêt à tout pour vous, Iris, murmura-t-il d'un ton bourru.

Partagée entre l'allégresse et l'incrédulité, Iris le dévisagea sans mot dire. Avait-elle bien entendu ? Max venait-il de lui avouer son amour... après toutes les horreurs qu'il lui avait dites quelques jours plus tôt ?

— Je comprends votre surprise, Iris, reprit-il à mi-voix. Je me suis comporté comme un véritable goujat avec vous. Mais si je vous ai dit des choses terribles, c'était pour tenter de me protéger, pour mieux dissimuler les émotions qui naissaient en moi, incontrôlables. Je ne vous demande pas de m'aimer en retour, je vous livre simplement mes propres sentiments. Faites-en ce que vous voudrez, Iris... je suis nu devant vous, acheva-t-il d'une voix tremblante.

Iris déglutit avec peine. Lorsqu'elle prit la parole, sa voix tremblait également.

— Max, ce n'est pas parce que votre mère vous a abandonné que vous ne trouverez pas l'amour d'une femme... une femme qui vous aimera pour la vie.

Elle inspira profondément avant de confier :

— J'avais trois ans quand ma mère est partie et ça ne m'empêche pas de vous aimer de tout mon cœur.

Voilà, c'était dit !

— Votre mère vous a abandonnées, vos sœurs et vous ? dit Max, stupéfait. Mais alors... voilà pourquoi votre père avait découpé la photo posée sur sa table de chevet !

Iris hocha la tête.

— Oui. Lila a toujours voulu nous épargner la cruelle vérité, à Capucine et moi. En fait, elle pense que nous croyons toujours ce qu'elle nous a raconté quand nous étions enfants... que maman était morte ; et nous, nous n'avons jamais songé à la détromper. A quoi bon ? Lila s'est comportée comme une vraie mère poule avec nous, ajouta-t-elle d'un ton attendri.

— Comment une mère peut-elle abandonner trois adorables fillettes de trois, quatre et cinq ans ? lança Max, sincèrement bouleversé.

Un pâle sourire joua sur les lèvres de la jeune femme.

— Je n'en sais rien. Il faudrait lui poser la question.

Il secoua la tête.

— Très franchement, je n'arrive pas à comprendre qu'une...

Sa voix se brisa tandis que son visage s'éclairait brusquement.

— Iris... ai-je rêvé ou bien avez-vous vraiment dit que vous m'aimiez... de tout votre cœur ?

La jeune femme laissa échapper un rire étranglé.

— Cela change-t-il quelque chose ?

Une bouffée d'allégresse gonfla le cœur de Max.

— Si ça change quelque chose ? s'écria-t-il en serrant tendrement ses mains dans les siennes. Ça change tout, oui ! M'aimez-vous assez pour accepter de m'épouser ? Après tout...

Les mots se bousculaient sur ses lèvres tant il était heureux. Légèrement sonné, aussi. Etait-ce un rêve ou la réalité ?

Le cœur battant à tout rompre, Iris hocha timidement la tête.

— Oh oui, Max... Oui, je veux être votre femme. Je veux vivre auprès de vous jusqu'à la fin de mes jours.

Les yeux embués de larmes, elle leva la main et caressa doucement la courbe de son menton volontaire.

— Me supporterez-vous tout ce temps ? ajouta-t-elle avec une pointe d'humour dans la voix.

Max la contempla longuement, émerveillé par tout ce bonheur qui lui tombait dessus, comme un cadeau. Lui aussi rêvait d'éternité auprès d'Iris. D'amour, de passion, de partage, de tendresse... de tant d'autres choses encore. Aimer et être aimé en retour, qu'y avait-il de plus doux ?

— Iris...

Eperdu de bonheur, il la prit dans ses bras et captura ses lèvres avec avidité.

Leur amour ne demandait qu'à s'épanouir. Il serait toujours temps de s'occuper du reste plus tard. De Lila et de Capucine. De la ferme. De Jude.

Seule Iris comptait, pour le moment.

Et elle resterait à jamais sa priorité absolue !

Le nouveau visage de la collection Or

◆

AMOURS D'AUJOURD'HUI

Afin de mieux exprimer sa modernité et de vous séduire encore davantage, votre collection Or a changé de couverture et de nom depuis le 1er mars 1995.

Rassurez-vous, les romans, eux, ne changent pas, et vous pourrez retrouver dans la collection **Amours d'Aujourd'hui** tous vos auteurs préférés.

Comme chaque mois, en effet, vous y attendent des héros d'aujourd'hui, aux prises avec des passions fortes et des situations difficiles...

**COLLECTION
AMOURS D'AUJOURD'HUI :**
Quand l'amour guérit des blessures de la vie...

Chère lectrice,

Vous nous êtes fidèle depuis longtemps?
Vous venez de faire notre connaissance?

C'est pour votre plaisir que nous avons
imaginé un rendez-vous chaque mois
avec vos auteurs préférés, vos
AUTEURS VEDETTE dans les
collections Azur et Horizon.

Les **AUTEURS VEDETTE** vous
donneront rendez-vous pour de
nouveaux livres vedette.

Pour les reconnaître, cherchez
l'étoile... Elle vous guidera!

Éditions Harlequin

HARLEQUIN

LE FORUM DES LECTEURS ET LECTRICES

CHERS(ES) LECTEURS ET LECTRICES,

VOUS NOUS ETES FIDÈLES DEPUIS LONGTEMPS?

VOUS VENEZ DE FAIRE NOTRE CONNAISSANCE?

SI VOUS AVEZ DES COMMENTAIRES, DES CRITIQUES À
FORMULER, DES SUGGESTIONS À OFFRIR, N'HÉSITEZ
PAS… ÉCRIVEZ-NOUS À:
>LES ENTERPRISES HARLEQUIN LTÉE.
>498 RUE ODILE
>FABREVILLE, LAVAL, QUÉBEC.
>H7R 5X1

C'EST AVEC VOS PRÉCIEUX COMMENTAIRES QUE NOUS
ALLONS POUVOIR MIEUX VOUS SERVIR.

DE PLUS, SI VOUS DÉSIREZ RECEVOIR UNE OU
PLUSIEURS DE VOS SÉRIES HARLEQUIN PRÉFÉRÉE(S)
À VOTRE DOMICILE, NE TARDEZ PAS À CONTACTER LE
SERVICE D'ABONNEMENT; EN APPELANT AU
(514) 875-4444 (RÉGION DE MONTRÉAL) OU 1-800-667-4444
(EXTÉRIEUR DE MONTRÉAL) OU TÉLÉCOPIEUR
(514) 523-4444 OU COURRIER ELECTRONIQUE:
AQCOURRIER@ABONNEMENT.QC.CA OU EN ÉCRIVANT À:
>ABONNEMENT QUÉBEC
>525 RUE LOUIS-PASTEUR
>BOUCHERVILLE, QUÉBEC
>J4B 8E7

MERCI, À L'AVANCE, DE VOTRE COOPÉRATION.

BONNE LECTURE.

HARLEQUIN.

VOTRE PASSEPORT POUR LE MONDE DE L'AMOUR.

ROUGE PASSION

De fiévreuses histoires d'amour sensuelles!

De provocantes histoires d'amour passionnées et romantiques qu'on lit d'une seule traite. Aventureuses, parfois humoristiques, et sensuelles, elles mettent en vedette des hommes et des femmes d'aujourd'hui.

ROUGE PASSION...
trois nouveaux titres chaque mois.

69 L'ASTROLOGIE EN DIRECT
TOUT AU LONG
DE L'ANNÉE.

(France métropolitaine uniquement)
Par téléphone 08.92.68.41.01
0,34 € la minute (Serveur SCESI).

Composé et édité par les
éditions Harlequin
Achevé d'imprimer en mars 2005

BUSSIÈRE
GROUPE CPI

à Saint-Amand-Montrond (Cher)
Dépôt légal : avril 2005
N° d'imprimeur : 50450 — N° d'éditeur : 11193

Imprimé en France